Hei

Günter Eich

Verlag C. H. Beck
Verlag edition text + kritik

Die ‚Autorenbücher‘ sind eine Gemeinschaftsproduktion
der Verlage C. H. Beck und edition text + kritik

CIP-Kurztitelaufnahme der Deutschen Bibliothek

Schafroth, Heinz F.
Günter Eich.
  (Autorenbücher ; 1)
  ISBN 3 406 06263 6

ISBN 3 406 06263 6

Umschlagentwurf von Dieter Vollendorf, München
Foto: A. v. Mangoldt
© C. H. Beck'sche Verlagsbuchhandlung (Oscar Beck), München 1976
Satz: acomp, Wemding. Druck: aprinta, Wemding
Printed in Germany

Inhalt

Für Ruth

I. Vita

Nur keine Spuren hinterlassen

Eich hat zeitlebens nichts getan, seine Biographie zu überliefern, und schon gar nicht dafür gesorgt, daß sie von der Attraktivität der Legende lebt. Sie ist deshalb, soweit der Autor selbst sie vermittelt, eine Reihe nackter Zahlen, Ortsnamen, Daten, Fakten. Der Versuch, sie mit Hilfe von Menschen, die Eichs Leben streckenweise begleiteten, einigermaßen zu verbinden und mittels vorsichtiger Interpretation lebendig werden zu lassen, ist behelfsmäßig und fragwürdig.

Günter Eich wurde am 1. Februar 1907 in Lebus an der Oder geboren. Im selben Jahr wie Wolfgang Weyrauch. Ein Jahr nach Stefan Andres. Ein Jahr vor Albrecht Goes, Gerd Gaiser, Edzard Schaper. Mit dieser zufälligen Liste soll angedeutet werden, daß Eichs Wirkung innerhalb der deutschen Literatur seit 1945 bis heute kaum eine Paralle hat bei Autoren seines Jahrgangs. (Am ehesten ist noch diejenige Peter Huchels, der 1903 geboren wurde, mit der seinen zu vergleichen.)

Lebus an der Oder – die Herkunft hat zuletzt anläßlich von Eichs Tod zu reden gegeben. Lebus liegt in der Mark Brandenburg, die heute zur DDR gehört. Eich wird deshalb von seiner Herkunft aus zum ,,Vertreter" eines ,,Typus"[1]: ,,Deutschland: das waren ja nicht bloß Rheinländer, Hessen, Franken und Bayern, dazu gehören auch Mecklenburger, Pommern, Schwerblütige aus der Mark. Wir bemerken nicht, daß ... ein stiller, sympathischer, herrlich verbiesterter und leiser Menschenschlag ... ausstirbt. Günter Eich hat eines seiner Gedichte Peter Huchel gewidmet, einen andern Text für Uwe Johnson geschrieben. Weiß man überhaupt noch, daß sie alle aus einer deutschen Ecke kommen, die in der DDR umfunktioniert wird und hierzulande vergessen?" Eich als Vertreter eines Menschenschlags? Gleichsam Symbolfigur für die ‚Tragödie der deutschen Teilung‘? Er hätte dazu vermutlich einiges zu bemerken gehabt.

Eich war der zweite Sohn. (Sein älterer Bruder hat Zeitungswissenschaft studiert, ist Dr. phil. geworden und lebt heute in der Nähe von München.) Während Eichs Kindheit war der Vater zunächst als Rechnungsführer und Verwalter auf landwirtschaftlichen Gütern tätig, ließ sich dann zum Bücherrevisor ausbilden und zog mit seiner Familie 1918 nach Berlin, wo er eine Kanzlei als Steuerberater führte.

Fast zweitausend Jahre vorher ist ein anderer Vater vom Land in die Hauptstadt gezogen, mit einem Sohn, der einer der größten Schriftsteller seiner Zeit werden sollte. Dieser Vater – es handelt sich um denjenigen des Horaz – zog nach Rom, „... weil er, obwohl arm mit seinem mageren Äckerlein, den Knaben nicht in die Dorfschule des Flavius schicken wollte ..., sondern es gewagt hat, ihn nach Rom zu bringen und ihn in den Wissenschaften und Künsten unterrichten zu lassen ...“ (Horaz, Satiren I, 6, Vers 71–77). Die Vorstellung, Eichs Vater habe vergleichbare Beweggründe gehabt, ist anziehend – in irgendeiner Weise durch Eich legitimiert ist sie freilich keineswegs.

1925 macht Eich sein Abitur in Leipzig und beginnt dann mit dem Studium der Sinologie in Berlin. In den ersten Jahren des Studiums entstehen die ersten Gedichte („schon mit neunzehn Jahren pries ihn Oskar Loerke ...“[2]), 1927 werden einige davon in einer Anthologie veröffentlicht, deren Herausgeber Willi Fehse und Klaus Mann sind. Eich publiziert zunächst unter dem Pseudonym Erich Günter. „Wer weiß denn, wie es mir geht, wenn das Buch einem meiner Professoren in die Hände fällt?“[3] – so soll er später die Wahl eines Pseudonyms begründet haben und dabei weniger an die Sinologie-Professoren gedacht haben als an diejenigen für Handelsökonomie und Volkswirtschaft: Diese Fächer hat Eich zusätzlich zu studieren begonnen, 1927 in Leipzig.

1928/9 studiert er in Paris wieder ausschließlich Sinologie. Nach seiner Rückkehr schreibt er (zusammen mit seinem Freund Martin Raschke) ein erstes Hörspiel, und 1930 erscheint sein erster Gedichtband: ‚Gedichte‘. Sein Studium hat Eich nur für kurze Zeit wieder aufgenommen. Er gehört ab 1931 dem Autorenkreis um die Dresdener Literaturzeitschrift ‚Die Kolonne‘ an (zusammen mit Autoren wie Peter Huchel, Elisabeth Langgässer, Oda Schaefer, Horst Lange – laut einem Interview Eichs aus dem Jahre 1949, s. IV 397).[4] In der ‚Kolonne‘ und in ‚Die neue Rundschau‘ veröffentlicht Eich die meisten Arbeiten jener Jahre. Er gibt sein Studium auf, weil „die andern in den Kollegs und Diskussionen immer alles besser wußten, obgleich ich doch wirklich geochst und gebüffelt habe. Ich taugte wohl doch bloß zum Schriftsteller.“[5] Als solcher lebt Eich in den dreißiger Jahren vor allem von Auftragsarbeiten für den Funk. Zwischen 1932 und 1940 sind über zwanzig Sendedaten für Werke Eichs nachgewiesen (s. III 1409 ff.), dazu eine von 1933–37 sich erstreckende Serie, die gemeinsam mit Martin Raschke verfaßte Monatssendung ‚Deutscher Monatskalender – ein Monatsbild vom Königswusterhäuser Landboten‘.

Mitte der dreißiger Jahre hat Eich geheiratet. Seine erste Frau, Sängerin von Beruf, ist bald nach dem Krieg gestorben.

Bei Kriegsausbruch lebt Eich in der Nähe Berlins. Er wird – „weil er ein Auto besaß“ – sogleich zum Bodenpersonal der Luftwaffe eingezogen. Erhart Kästner berichtet, er habe Eich bei Kriegsbeginn „in soldatischer Verkleidung“ angetroffen, zusammen mit Martin Raschke, der erzählt habe: „Der Eich, der lernt jetzt in einem fort Gedichte auswendig, denn er sagt, die werde man im Unterstand brauchen.“[6] Eich hat auch die Kriegsjahre nicht biographisch verarbeitet. Daß unter den Gedichten, die er auswendig lernte, solche von Hölderlin waren, läßt sich in dem berühmt gewordenen Gedicht ‚Latrine‘ feststellen. Und vielleicht gehörten auch schon einige jener entlegenen Verse dazu, die Eich bis in die letzten Jahre seines Lebens zitierte, etwa die Schlußverse von Kleists Gedicht ‚Katharina von Frankreich‘: „Und jetzt begehrt er nichts mehr, / als die eine- / ihr Menschen, eine Brust her, / daß ich weine.“ 1940 wird Eich auf Veranlassung seines Freundes Jürgen Eggebrecht[7] in die Stabsstelle Papier kommandiert, die von Eggebrecht geleitet wurde. Eggebrecht, wie Eich nie Mitglied der nationalsozialistischen Partei, befördert Eich zum Unteroffizier und kann ihn bis 1944 vor einem Fronteinsatz bewahren.

1945 gerät Eich bei Remagen in amerikanische Kriegsgefangenschaft. Erst jetzt beginnt er wieder zu schreiben, einen Teil jener Gedichte, die 1948 in der Sammlung ‚Abgelegene Gehöfte‘ erscheinen. 1946 nimmt Eich in Geisenhausen bei Landshut Wohnsitz, dort, wo er während des Krieges zeitweise einquartiert war. Die ersten Nachkriegstexte Eichs werden in der Münchner Gefangenenzeitschrift ‚Der Ruf‘ gedruckt. Die Redakteure des ‚Ruf‘, Hans Werner Richter und Alfred Andersch, werden von der amerikanischen Militärregierung wegen kritischer Äußerungen zur Politik der Besatzungsmächte entlassen. Sie beschließen die Gründung einer Ersatzzeitschrift und fordern Mitarbeiter des ‚Ruf‘ auf, auch beim geplanten ‚Skorpion‘ mitzumachen. Aus der Gründungszusammenkunft der künftigen ‚Skorpion‘-Mitarbeiter und -Herausgeber entwickelt sich die Gruppe 47, die das literarische Leben in der Bundesrepublik während der nächsten zwanzig Jahre maßgeblich beeinflussen wird. Eich ist eines der ersten Mitglieder. Schon 1948 liest er auf einer ihrer Tagungen vor, und 1950 spricht ihm die Gruppe ihren ersten Literaturpreis zu, für Gedichte, die fünf Jahre später in den ‚Botschaften des Regens‘ erscheinen.

Auf einer der Gruppentagungen lernt Eich seine zweite Frau kennen, die österreichische Schriftstellerin Ilse Aichinger. Seit ihrer Heirat, 1953, ist Ilse Aichinger Eichs erste Leserin und Kritikerin. 1965 erklärt er in einem Interview (IV 406): „Ich empfinde eine starke Verwandtschaft zwischen ihrer Art zu schreiben und meiner, finde ihre literarische Bedeutung größer.“ Die beiden wohnen zuerst in Geisenhausen, dann in Breitbrunn am Chiemsee, ab 1956 in Lenggries in Oberbayern, danach in Bayrisch Gmain und ab 1963 im österreichischen Groß-Gmain (b. Salzburg). Solange er Eich kenne, habe der immer in gottverlassenen Nestern gewohnt, schreibt Peter Bamm später einmal. 1954 wird der Sohn Clemens geboren, 1957 die Tochter Mirjam.

In den fünfziger Jahren schreibt Eich seine berühmtesten Hörspiele, veröffentlicht er seine populärste Gedichtsammlung ('Botschaften des Regens'). Er erhält eine Reihe angesehener Literaturpreise, so 1953 den Hörspielpreis der Kriegsblinden und 1959 den Georg-Büchner-Preis. Er unternimmt, bis lange in die sechziger Jahre hinein, größere Reisen, meist Lesereisen. 1955 nach Portugal, 1962 nach Japan, Indien, Kanada und in die USA, 1965 in den Senegal und 1967 nach Persien.

1967, auf der letzten Tagung der Gruppe 47, liest Eich erstmals 'Maulwürfe' vor.

Die beiden letzten Lebensjahre sind gekennzeichnet durch lange Krankheiten und Spitalaufenthalte, ab 1972 scheint Heilung ausgeschlossen. Eich erlebt noch das Erscheinen seines letzten Gedichtbandes ('Nach Seumes Papieren') und die Erstsendung seines letzten Hörspiels ('Zeit und Kartoffeln'), des einzigen, das er nach 1964 noch geschrieben hat. Am 20. Dezember 1972 stirbt Eich in einem Salzburger Krankenhaus. Am 22. Dezember wird er, ebenfalls in Salzburg, kremiert. Er hat sich ein Begräbnis gewünscht, an dem nur die engsten Familienangehörigen teilnahmen.

'Nach dem Ende der Biographie' (so ist eines der zehn Gedichte im letzten Gedichtband überschrieben) bleibt nur die nochmalige Feststellung ihrer Fragwürdigkeit, vielleicht Unzulässigkeit. Eich selbst – soviel ist gewiß – wollte seine Biographie banal, nicht reich, nicht zugänglich, nicht auswertbar und anwendbar. Möglicherweise aus Gründen der Diskretion. Und aus der Überzeugung heraus, daß Dichterbiographien, die es darauf abgesehen haben, es zu sein, unzumutbar seien, und daß demjenigen, der schreibt, die Festianus-Solidarität mit denen, die keine Biographie hinterlassen, zustehe.

Oder sein Verschweigen des Biographischen hängt zusammen mit dem 1962 notierten Satz: ,,Sprache beginnt, wo verschwiegen wird." (IV 307) Eich könnte die Daten, die Landschaften und Orte, die Personen und Begegnungen verschwiegen haben, weil dies die einzige Möglichkeit war, sie *zur Sprache zu bringen,* Sprache werden zu lassen. Wenn es sich so verhält,

dann wäre Eichs eigentliche Biographie in seinem Werk aufzu-
spüren. Und für die Biographie außerhalb des Werks gälte dann
das: ,,Nur keine Spuren hinterlassen", der Vers also, mit dem
Eich das erste Gedicht seiner letzten Gedichtsammlung ab-
schließt.

II. 1927–1945

O ich bin von der Zeit angefressen

1. Einleitung

Als Eich 1926 Gedichte zu schreiben begann, war der erste Weltkrieg seit acht Jahren zu Ende. Aber die ‚goldenen‘ zwanziger Jahre hatten ihn in stärkerem Maße hinter sich gelassen, als die seit seinem Ende vergangene Zeit vermuten ließe. Die Literatur, nicht nur die deutsche, hat ihn rascher ad acta gelegt als später den zweiten Weltkrieg: dieser ist 1955 in Hans Werner Richters drittem Kriegsroman (‚Du sollst nicht töten‘) noch Thema, 1963 in ‚Hundejahre‘ von Grass, 1965 im Auschwitz-Oratorium ‚Die Ermittlung‘ von Peter Weiß. Die Bücher, die die zwanziger Jahre bestimmen, sind: ‚Ulisses‘ von Joyce (1920), ‚Der Zauberberg‘ von Thomas Mann (1924), ‚Berlin Alexanderplatz‘ von Döblin (1929). Der Krieg ist auch im ausklingenden Expressionismus oder in den Stücken, die Brecht in den zwanziger Jahren schrieb, nicht mehr thematisiert. Die Ausnahme, die die Regel bestätigen könnte, bestätigt im Grunde die Tendenz: Der Welterfolg von Erich Maria Remarques ‚Im Westen nichts Neues‘ (1928) ist nostalgiebedingt – der Stoff dieses Buches (der erste Weltkrieg) ist also bereits in jene Ferne gerückt, wo Nostalgie ihn aufsuchen darf. 1928/9, als Remarque seinen Bestseller schrieb und veröffentlichte, las und sah man in Deutschland zum Beispiel: Anna Seghers' ‚Der Aufstand der Fischer von St. Barbara‘, ‚Das Schweißtuch der Veronika‘ von Gertrud von Le Fort, Carossas ‚Verwandlungen einer Jugend‘, Brechts ‚Dreigroschenoper‘, Goetz' ‚Der Lügner und die Nonne‘, Penzoldts ‚Die Powenzbande‘. In Brechts ‚Hauspostille‘, die im gleichen Jahr erschien wie Eichs erste Gedichte, ist der Krieg nur in der ‚Ballade vom Weib und dem Soldaten‘ und der ‚Legende vom toten Soldaten‘ Thema.

Eich stieß also am Beginn seiner schriftstellerischen Laufbahn kaum auf die Auseinandersetzung mit dem Phänomen Krieg. Stattdessen auf diejenige mit der ‚linken' Literatur, die laut Walter Jens nach 1918 zum Zuge gekommen war: „... aus der Salon-Langeweile vertrieben, entdeckte der Poet die Leidenschaft des Markts, ... die Linke, lange zum oppositionellen Schweigen verdammt, beherrschte das Forum ..."[8] Eich hat allerdings auf die linke Literatur seiner Zeit mit Mißtrauen reagiert. Nicht aus politischen, sondern ästhetischen Gründen, wie eine Rezension von Johannes R. Bechers ‚Der große Plan' (1931) beweist (IV 421). Wenige Jahre nach Eichs erstem Auftreten als Schriftsteller war ohnehin die „forumsbeherrschende" Position der linken Literatur zu Ende. Nach dem New Yorker Börsenkrach und der weltweiten Wirtschaftskrise, die ihm folgte, ist ab 1930 der Nationalsozialismus die kommende politische Ideologie in Deutschland, und nach der Machtergreifung Hitlers (1933) beginnt die Zeit der Gleichschaltung in allen, auch den kulturellen Bereichen. Von nun an hatte ein Schriftsteller zu wählen zwischen Emigration und Verfolgung oder zwischen Mitmachen und Ausweichen – letzteres wurde später von solchen, die geblieben waren, die ‚innere Emigration' genannt.

Es kann heute nicht mehr darum gehen, die eine Emigration gegen die andere auszuspielen. Die Tatsache, daß die große deutsche Literatur der dreißiger Jahre und der Kriegsjahre außerhalb Deutschlands entstanden ist, steht ebenso fest wie diejenige, daß die sogenannte innere Emigration in einer psychischen Zwangslage war. Die literarische Auseinandersetzung mit dem Nationalsozialismus konnte nicht in Deutschland erfolgen. Die späteren Bemühungen, sie in einigen der in jenen Jahren erschienenen Werke als verschleiert, subversiv ausgetragen nachzuweisen (Bergengruens ‚Der Großtyrann und das Gericht' von 1935 und Ernst Jüngers ‚Auf den Marmorklippen' von 1939 wurden in dieser Richtung gedeutet), stellen den unnötigen Versuch dar zu rechtfertigen, daß es damals Autoren gab, die nicht emigriert sind, aber auch nicht geschwiegen haben. Übrigens kam der Nationalsozialismus auch in der Emigrantenliteratur überraschend wenig zur Sprache. Brochs ‚Versucher‘, Heinrich Manns ‚Henry Quatre‘ und Brechts ‚Arturo Ui‘ (erst 1941 geschrieben) stellen Ausnahmen dar. Im allgemeinen schien auch den Emigranten, was ihre literarische Tätigkeit angeht, wie Karl Kraus 1933, zu Hitler nichts einzufallen.

In Deutschland hielten es einige prominente Autoren anders und nahmen zu Hitler Stellung. Im Falle Gerhart Hauptmanns könnte dies mit Senilität entschuldigt werden. Und Gottfried Benn hatte bald zurückzunehmen, was er 1934 in den Vorworten zu ‚Kunst und Macht‘ und ‚Der neue Staat und die Intellektuellen‘ schrieb: „Der Nationalsozialismus ist heute eine feststehende geschichtliche Erscheinung; seine Fundamente sind eingelassen in den glanz- und opfergetränkten Boden Europas. Er wächst, er richtet sich aus.“[9] „Alle politischen Anstrengungen des neuen Staats gehen daher auf das eine innere Ziel: Anreicherung einer neuen menschlichen Substanz im Volk, Grundlegung eines neuen opferfähigen Lebensgefühls, eines heroischen, weil es durch Abgründe und Verluste wird gehen müssen –, Anreicherung mittels der modernsten ... Methoden: Eliminierung und Züchtung.“[9] Benn wurde trotzdem 1936 mit einem Schreibverbot belegt.

Eich hat 1933–1939 gearbeitet, und zwar fast ausschließlich für den politisch und kulturell gleichgeschalteten Rundfunk. Soll man versuchen, ein Verdienst daraus zu machen, daß er in diesen Jahren und durch dieses Medium nicht nach dem Munde derer redete, die an der Macht waren, daß er also offensichtlich nicht darauf aus war, Karriere zu machen? Ist es ihm hoch anzurechnen, daß er, anders als Benn, auch nicht zeitweise dem Irrtum verfiel, dem Beginn einer neuen Zeit und Kultur beizuwohnen? Oder muß es, umgekehrt, beunruhigen, daß er den Machthabern die ganze Zeit über nicht in die Quere kam, daß sie seine Arbeit von ihrer Thematik und Form her gar nicht zur Kenntnis zu nehmen brauchten? Beides ist unrealistisch. Eichs Position in den Jahren des Nationalsozialismus ist weder zu heroisieren noch zu verurteilen. Er war als junger Autor einem kleinen Kreis literarisch interessierter Leute bekannt. Er hatte genug Arbeit, um als freier Schriftsteller leben zu können, aber keineswegs einen Ruf, der literarisches Märtyrertum hätte sinnvoll erscheinen lassen. Die Ehre der Bücherverbrennung wäre ihm nicht zuteil geworden. Daß er und die Gruppe, der er angehörte (um Eichs ersten Verleger, Jess, und seinen Freund Martin Raschke), nicht nationalsozialistische Literaturvorstellungen vertraten, geht allein schon daraus hervor, daß ihre Zeitschrift ‚Die Kolonne' das Jahr der Machtergreifung Hitlers ebensowenig überlebte wie die Periodica der ehemaligen Expressionisten (‚Aktion', ‚Der Sturm'). Leute wie Eich waren für die nationalsozialistische Propaganda auf Grund der apolitischen Thematik ihrer Werke nicht benutzbar, und sie waren nicht so wichtig, daß die Machthaber ihnen das offiziell hätten zum Vorwurf machen können.

Die apolitische Position Eichs war programmatisch. Er hatte sie bereits 1930 pointiert formuliert: ,,Verantwortung vor der Zeit? Nicht im geringsten. Nur vor mir selber." (IV 387) Alles, was er schreibe, seien ,,innere Dialoge". Ein Jahr später wandte sich Benn in einer Radiorede gegen das, was er die ,,russische Kunsttheorie" nennt, nach welcher der Künstler angesichts der politischen Lage nicht mehr das Recht haben solle, individuelle Probleme darzustellen; er müsse sich den kollektiven zuwenden: ,,Auch wer nicht weniger radikal als die patentierten Sozialliteraten das nahezu Unfaßbare, fast Vernichtende unserer jetzigen Wirtschaftslage, vielleicht unseres Wirtschaftssystems empfindet, muß sich meiner Meinung nach doch zu der Erkenntnis halten, daß der Mensch in allen Wirtschaftssystemen das tragische Wesen bleibt, das gespaltene Ich, dessen Abgründe nicht sich auflösen im Rhythmus einer Internationale, der das Wesen bleibt, das leidet."[10]

Die Gefahren dieser Art literarischen Zeitgenossentums sind evident, und das Beispiel Benns illustriert sie. Eich ist ihnen nicht erlegen. Wenn es darum ginge, ihm etwas zu Gute zu halten, wäre es aus diesem Grund möglich.

1940 wurde Eichs letztes Vorkriegshörspiel gesendet. Während der Kriegsjahre schrieb Eich nicht. Die Texte, die Kriegserlebnisse zum Thema haben, entstehen erst in der Gefangenschaft oder unmittelbar danach. Es sind übrigens auffallend wenige. Eich beschrieb den Alptraum selten realistisch-dokumentarisch. Es widersprach seiner Auffassung von der Aufgabe der Literatur, die in diesem (vielleicht dem einzigen) Punkt Zeit seines Lebens unverändert blieb. Sie ist herauszulesen aus der schon erwähnten Rezension eines Becher-Romans, in der es heißt: „Eine statistische Darstellung des Fünfjahresplans scheint mir wichtiger, interessanter und ehrlicher." (IV 422) Das ist weitgehend auf das Erlebnis und das Thema Krieg zu übertragen.

2. Die frühen Gedichte

„Deine Tage gehen falsch" („Verse an vielen Abenden', I 9). Dieser Vers bedeutet Eichs lyrisches Debut. Er leitet das erste von acht Gedichten Eichs ein, die 1927 in der ‚Anthologie jüngster Lyrik' erschienen sind. Er soll nun nicht die lyrische Originalität des Zwanzigjährigen beweisen. Aber er besticht: durch Lakonik und eine Art Kälte; durch eine unüberhörbare, abweisende Radikalität – er schließt Einwände und weltanschauliches Palaver aus. In diesem Sinn nimmt der erste Vers, den die Öffentlichkeit von Eich zu lesen bekommt, den Autor des Gedichtbandes ‚Zu den Akten' (1964) vorweg. Das ist keineswegs eine Feststellung, die allgemein für die Lyrik des jungen Eich zu machen wäre. Eich selbst erklärte 1965, er habe als „verspäteter Expressionist und Naturlyriker" (IV 407) begonnen. Expressionismus und Naturlyrik sind die Begriffe, die auch in der Sekundärliteratur über Eichs Lyrik bis hin zu den ‚Botschaften des Regens' (1955) am beharrlichsten auftauchen. Und die Autoren, denen er immer wieder zugeordnet wird, sind die Naturlyriker Loerke (1884–1941) und Lehmann (1892–1968). Aber auch Trakls und Rilkes, sogar Georges Wirkung wird nachgewiesen, und von ihnen aus wird Eichs frühe Lyrik zurückgeführt auf die französischen Symbolisten auf der einen und Novalis, Brentano und Hölderlin auf der andern Seite.

Das Vokabular von Eichs früher Lyrik mutet jedenfalls bekannt an. Gestirne, Sterne, Mond, Trauer, Schmerz, erinnern, Erinnerung, vergehen, verwehen – Vokabeln wie diese und ähnliche sind auffallend häufig und damals kaum weniger abgebraucht, als sie heute anmuten. Und wenn das Bewußtsein ihrer Abgebrauchtheit zu besonders exquisiten Zusammenstellungen veranlaßt („blauer Herbst", „bittere Sterne"), wirken diese, zumindest in ihrer Tendenz, eher gängig als kühn. Der Herbst, auch das erstaunt nicht, ist stärker vertreten als alle anderen Jahreszeiten, und die dominierenden meteorologischen Verhältnisse in Eichs damaliger Lyrik (und nicht nur seiner) sind Regen, Wind und Nebel.

Eich hat in einer interessanten Lyrikdiskussion das Recht des Lyrikers auf die alten Wörter verteidigt. Bernhard Diebold, Dramaturg und Kritiker, hatte 1932 den jungen Lyrikern vorgeworfen, daß sie, wie vor hundert Jahren, unter Goethes Mond und in Hölderlins oder Mörikes Hain lebten. Er stellt die These auf, die neue Lyrik könne „nur an der neuen Umgangssprache mit modernen Vokabeln und modernen Gegenständen herauskristallisiert werden". (IV 470) Eich entgegnet, daß die äußeren Erscheinungsformen wie Flugzeug und Dynamo nicht das Wesentliche einer Zeit seien, sondern die Veränderungen, die ein Mensch und seine Empfindungsmöglichkeiten durch sie erführen. Weil keines der neuen Denk- oder Lebenssysteme die Zeit universal repräsentiere, würde die Entscheidung des Lyrikers für heutige Vokabeln die Entscheidung nur für eine Teilerscheinung der Zeit bedeuten, und solche interessierten den Lyriker nicht. „Die Wandlungen des Ichs sind das Problem des Lyrikers. Das wird im Formalen die Folge haben, daß er ... Vokabeln vermeidet, die ein zeitgebundenes, also ihn nicht direkt interessierendes Problem in sich schließen. Ja, ich meine, der Lyriker *muß* ,alte' Vokabeln gebrauchen, die, selbst problemlos geworden, ihre neue Bedeutung erst durch das Ich gewinnen. An Vokabeln wie ,Dynamo' oder ,Telephonkabel' hängen soviele zeitlich bedingte Assoziationen, daß sie die reine Ichproblematik des Gedichts durch ihre eigene Problematik zumeist verfälschen". (IV 389) Die Stellungnahme beweist, daß Eich das epigonale Vokabular mit Bewußtsein und aus einer Gegnerschaft zu Modetendenzen heraus verwendet.

Es wäre dennoch falsch, ihn zu berichtigen, wenn er seine frühe Lyrik 1965 als „verspätet" bezeichnet. Sie ist es vielfach auch in ihren Motiven. Die Sehnsucht, mit der Natur zu verschmelzen („du mußt wieder stumm werden, unbeschwert, eine Mücke, ein Windstoß, eine Lilie sein"; ‚Verse an vielen Abenden', I 9), kontrapunktiert die Vergänglichkeitserfahrung, die die Natur besonders schmerzlich vermittelt. Aus der Schönheit der Erinnerungen schleicht die Erkenntnis des Vorbei, Zuspät, und sie erweckt Aggression gegen die Erinnerung („Laß dein Herz verhärten / und ohne Gedächtnis sein"; ‚Gesicht', I 57). Das Ich ist heillos gespalten, und die eine Hälfte von der andern so völlig geschieden, daß es zur ‚Erinnerung an mich selbst' (I 17) kommen kann und zur Erfahrung des andern Körpers („mein anderer Leib"; ‚Aegyptische Plastik', I 11, und ‚Erinnerung an mich selbst', I 17). Schließlich verschwimmt jegliche Wirklichkeit und wird ungewiß: „Wir sind uns so entschwunden, / daß alles fraglich wird ... / was war denn Wirklichkeit"; ‚Der Anfang kühlerer Tage', I 12). In diesem Verschwimmen und Verschwinden, in der Vagheit seiner Existenz verliert der Mensch Sicherheit und Halt, es gibt keine Erfahrung mehr, die ihm Heimatgefühle vermitteln könnte, er bleibt unbehaust, in Tod und Leben gleichermaßen: „... Dieses heißt Leben und ein anderes Tod. Aber wir gehören / nie einem ganz an" (‚Verse an einen Toten', I 15).

Kein Zweifel: in dieser Lyrik ist vieles vertrauter Weltschmerz, vieles teils zeit-, teils altersbedingt. „O ich bin von der Zeit angefressen" – ein Vers wie dieser (aus einem Gedicht von 1927, ‚Verse an vielen Abenden', I 9) kann als Motto für einen großen Teil von Eichs Frühwerk verstanden werden.

Aber gerade dieser Vers, sieht man einmal ab von der Traklschen Interjektion am Anfang, ist erstaunlich hart im Ton, es geht ihm die Traklsche Sangbarkeit gänzlich ab, er läßt den Grundklang pubertärer Wehleidigkeit, der in den Gedichten verbreitet ist, in dieser Härte weit hinter sich. Ähnlich merkwürdige Töne finden sich auch sonst in *Eichs* frühen Gedichten. In ‚Fragment‘ (I 10/1) von 1930 zum Beispiel.

Wolken klettern wie Tiere auf den Berg des Himmels,
die Abende dunkeln zu früh und aus allen
Lampen tropft der Herbst.

Dies kennst du, es ist November,
weit sind Wiesen und die Gerüche des Waldes.
Als du sehr klein warst, fingst du Schmetterlinge.

Alles verging, wie ein Atemzug voll Wind.
Zwischen die Tage schieben sich Ewigkeiten.
Du hörst, wie unterm Regen ein Kind eine Mundharmonika bläst.

Die Bäume rosten und
wie ein Flug Wildenten erscheinen im Schilf die Geschwader der Sterne.

Gewiß wuchern da noch Metaphorik und Melancholik, gibt es zuviel Vergleiche und große Worte (Ewigkeiten), die rostenden Bäume und der aus allen Lampen tropfende Herbst sind schwer zu ertragen. Aber es kommt auch ein Satz vor wie „die Abende dunkeln zu früh", ein Satz ohne Zutaten und Attraktionen, ein Satz der fast nur Information ist. Und da ist auch der Vers von den Schmetterlingen, an dem vielleicht das rilkesche „sehr" noch stört, der aber auch so eindringlich unvermittelt an eine Leerstelle anschließt und der eine starke Traurigkeit mit einer einfachen, ganz und gar zugänglichen Feststellung belegt. Noch stiller und nachhaltiger die akustisch-optische Genauigkeit im Vers: „Du hörst, wie unterm Regen ein Kind die Mundharmonika bläst." Ebenso genau und plastisch die Verbindung einer seelischen und einer räumlichen Erfahrung in einem Vers des Gedichts ‚Aegyptische Plastik‘ (I 11): „und im Horizont verschwand das Fahrzeug traurig und verrückt." Es gibt unter Eichs frühsten Gedichten solche, die moderner anmuten als manche aus ‚Abgelegene Gehöfte'.

> Nach dreißig Wochen grundloser
> Unruhe, nach dreißig Wochen
> zitternder Luft, möchte ich
> ein Feld hier haben, um darüberhin
> zu stolpern vielleicht, mit Füßen,
> die nicht mehr lernen wollen zu gehn.
> Nach dreißig Wochen und es sind
> Gefühl und Sprache abgelegt wie alte Kleider,
> unnütz wie ein Zeitungsblatt vom vergangenen Jahr. (I
> 181)

Was hier auffällt, ist das Bemühen, prosaisch zu sein, ist der Versuch, Natur als Erfahrung, nicht als Metapher einzusetzen („Feld ..., um darüberhin zu stolpern"). Wo Vergleiche verwendet werden, sind sie unpoetisch, sachlich, ohne Farbigkeit. Zusammen mit der Vorstellung des Clownesken (Vers 5/6) ergibt das eine Grundsituation, die entfernt an Beckett erinnert. Erstaunlich auch die Schlußstrophe von ‚Erwachen' (I 183):

> Langsam fallen dir wieder
> Silben und Worte ein:
> Gehen, Herbst, Straße,
> Traum, du und dein.

Der Augenblick des Erwachens ist nachvollzogen an der Rückkehr der Sprache, der Worte, die in dem Moment, wo sie sich, zufällig, unprogrammatisch, wieder einstellen, erst die Umgebung, die Wirklichkeit erschaffen. Das ist ein früher Beleg für „die Entscheidung" des Schriftstellers Eich, „die Welt als Sprache zu sehen" (IV 441). Ebenso Vorwegnahme, diesmal der „verschweigenden Sprache" (IV 307), ist eine Formel aus einem Gedicht zum Geburtstag Loerkes: „Wort, das selber schweigt"

(I 185). Und im Gedicht ‚Manchmal‘ (I 56), das 1932 entstanden ist, dann (wie übrigens viele der Gedichte aus den dreißiger Jahren) in die Sammlung ‚Abgelegene Gehöfte‘ von 1948 aufgenommen wurde, ist das für Eich später zentrale Mißtrauen gegen die Antworten und seine „Option für die Frage“[11] andeutungsweise artikuliert: „Hörst du endlich die Frage, / und die Antwort ist plötzlich schwer.“

Auch der meist konventionell anmutende Weltschmerz gewinnt manchmal eigenartige Dimensionen. An den Vers ‚O ich bin von der Zeit angefressen‘ schließen die Verse an: „und bin in gleicher / Langeweile vom zehnten bis zum achtzigsten Jahre“ (I 9). In ‚Gegen vier Uhr nachmittags‘ (I 56) heißt es: „. . . jeden neuen Tag mit allen / alten Tagen vermengt.“ Die Melancholie, welcher der Weltschmerz oder -ekel sich so formuliert nähert, weist wie das Wort Langeweile auf Büchners ‚Leonce und Lena‘ oder ‚Danton‘, und der junge Eich ist da nicht mehr jung wie die Expressionisten oder Stürmer und Dränger, sondern eher wie der ihm später so wichtige, als Vierundzwanzigjähriger verstorbene Georg Büchner und wie dessen Leonce, von dem Lena sagt: „Er ist so alt unter seinen blonden Locken. Den Frühling auf den Wangen und den Winter im Herzen.“

Man kann (und hat) anhand der Perfektion von Eichs Strophen, Rhythmen und Reimen nachweisen wollen, daß sich in den frühen Gedichten der große Lyriker entdecken ließe. Aber die Souveränität in der Beherrschung übernommener Formen ist allgemein Merkmal des Epigonalen. Interessanter und wegweisender sind die ‚Ungereimtheiten‘ in Eichs frühen Gedichten; die Verse, wo er sich nicht ohne weiteres auf die Zeit und naheliegende Vorbilder zurückführen läßt. Ein Vers wie der erste aus dem Zyklus ‚An vielen Abenden‘. Mit diesem leitete Eich 1930 den eigenen Gedichtband ein, und er steht erneut am Anfang des 1972 erschienenen Eich-Lesebuchs,[12] das der Autor selber zusammenstellen half. Der erste Vers einer von Eich selbst legitimierten Sammlung eigener Texte ist angesichts von Eichs bekannt bösartigem Umgang mit seinem früheren Werk also gewiß von einigem Gewicht. Er lautet: „Herumtrabend mit

hungrigen Wolfsschritten um deine verlassene Hütte" (I 9).
Wenn einem solchen Vers gegenüber von Beherrschung der
Form gesprochen werden kann, dann kaum im üblichen Sinn.
Der Vers scheint in seiner ungeheuren Länge jegliche Form
sprengen zu wollen. Er ist von Rhythmus und Wortstellung her
seltsam sperrig, jedenfalls überhaupt nicht glatt und einneh-
mend. Aber in dieser Sperrigkeit ist es ein Vers, der stärker an
den späten Eich erinnert als viele Verse, die ihn in den Fünfziger
Jahren als Lyriker erfolgreich gemacht haben.

3. Die Vorkriegshörspiele

Das erste erhaltene Hörspiel von Eich, ‚Ein Traum am Edsin-
gol‘, wurde 1932 geschrieben, aber damals nicht gesendet. Zur
Erstsendung im Jahre 1950 hat Eich eine Einführung verfaßt:
„Ich will nicht sagen, daß ein Meisterwerk den Hörern bis heute
vorenthalten worden ist ... Die etwas pubertäre und sentimen-
tale Thematik ist für mich persönlich mehr rührend als überzeu-
gend." (IV 399) Eichs Urteil über seine andern Funkarbeiten aus
jenen Jahren wäre vermutlich nicht anders ausgefallen. Seine
Anfänge als Hörspielautor sind dennoch von Interesse. Nicht
weil es sich um die Anfänge des berühmtesten deutschen Hörspielautors handelt. Sondern weil die frühen Hörspiele Eich auf
anderen Wegen zeigen als die Gedichte. Zwar gibt es in allen
Hörspielen Motive, die aus den frühen Gedichten bekannt sind.
Aber ebenso viele oder mehr, die in den Gedichten undenkbar
sind. Und soweit die Sprache noch expressionistisch ist, fällt sie
in den frühen Hörspielen bereits auf, weil die Hörspielsprache
im allgemeinen entschieden anders ist als die der Gedichte: sachlich, prosaisch, der Umgangssprache nahe, weit weniger ‚hohe‘
Sprache als zumeist in der frühen Lyrik.
    Diese Feststellungen können besonders leicht belegt werden
dort, wo sie nicht gelten. Das ist der Fall in einem einzigen der
sechs in der Gesamtausgabe zugänglichen Vorkriegshörspiele,
nämlich dem „funkischen Versuch" (dies der Untertitel)

‚Schritte zu Andreas' von 1935. Ein Holzfäller liegt, von einem fallenden Baum schwer verletzt, in seiner einsamen Berghütte. Er ruft gleichsam telepathisch seine im Tal schlafende Geliebte herbei. Diese macht sich auf den Weg, durch den Wald, den Berg hinan, und merkt, daß neben ihr jemand anderer unsichtbar schreitet: der Tod nämlich, und dieser hat dasselbe Ziel, die Hütte des sterbenden Andreas. Es beginnt ein Wettlauf zwischen den beiden, auch Andreas spürt, daß sie zu ihm streben und Tod oder Leben bedeuten. Aber der Kontakt zum Mädchen bricht ab (es hat sich verlaufen), dafür kommt der Tod immer näher. Das Hörspiel (ein brillant gemachter Reißer, voller Nervenkitzel und akustischem Raffinement) endet mit der Apotheose des jungen Holzfällers: ,,*Musik* ... ich lieg im Freien ... in der großen Kammer des Waldes ... Oh – Duft von Wachstum und Erwachen! Die Bäume gebären wieder ... Ich fühle mich rinnen ins Holz, steig jauchzend in die Kammern des Holzes, verteil mich in hundert Ströme, in tausend Rinnsale, ein neuer Jahresring wächst ... es hat kein Ende. *Musik aus. Der Schritt des Todes in der Ferne auftauchend.* Bald wird er die Tür aufmachen, ich hör, wie er kommt. Aber es hat kein Ende. *Wieder die Schritte. Noch einmal eine verwehende Melodie. Eine Türe geht auf. Die Schritte des Todes werden größer, langsamer und bleiben stehen. Andreas lächelnd:* Es hat kein Ende." (II 56/7)

Dieses Hörspiel (die Schlußszene ist stark gekürzt zitiert) ist von Motiv (Sterben als Verschmelzen mit der Natur) und Sprache (mit ihren volkstümlichen Elementen) her das einzige, das Motive und Sprache der gleichzeitigen Lyrik ungebrochen aufnimmt. Wie sehr sie sich in andern Hörspielen ändern, zeigt ,Radium', ein Hörspiel, das Eich 1937 nach Motiven eines zeitgenössischen Romans gestaltet hat. ,,Man könnte behaupten, daß ich dicker geworden bin in den letzten Jahren, – Resignation, daß mein Dasein nichts Endgültiges betrifft. Tausende würden mich beneiden: Pierre Cynac, Inhaber des drittgrößten Bankinstitutes von Belgien. Aber, was ist das? Es ist nichts. Andere sind noch größer und machen die entscheidenden Dinge unter sich aus. Die entscheidenden Dinge, die Weltherrschaften.

Zwanzig Jahre habe ich auf das Kupfer gehofft, aber ist das eine Macht, die man als Greis erringt oder vielleicht seinen Kindern als Hoffnung hinterläßt? Ich bin kein Kärrner, ich eigne mich schlecht dazu, Pfennig auf Pfennig zu legen, – weg damit, – alles oder nichts! Also wird mein Bauch noch behäbiger werden, ich werde gute Geschäfte machen und mein Leben wird verfehlt sein." (II 103) In der Folge spielt jedoch ein Zufall dem Bankier Cynac statt Kupfer Uranvorkommen in die Hände, er baut das Radium-Imperium auf, ruiniert rücksichtslos seine Konkurrenten, seine Arbeiter und den idealistischen Arzt Purvis.

Mit der Sprache ist auch die Thematik neu. Eich befaßt sich in vier Vorkriegshörspielen zentral oder am Rande mit wirtschaftspolitischen und zivilisatorischen Fragen. Er könnte Brecht kennen gelernt haben. Um 1930 waren ,Aufstieg und Fall der Stadt Mahagonny' und ,Die heilige Johanna der Schlachthöfe' aufgeführt worden. Die Song-Partien in Eichs Hörspiel ,Fährten in die Prärie' und die Chöre im Fragment ,Weizenkantate' (beide aus dem Jahr 1936) sind im Brecht-Ton geschrieben. Und die Hörspiele offenbaren ein starkes Interesse an Wirtschaftsführern (die Auseinandersetzung mit ihnen ist in ,Radium' weit sarkastischer als in Brechts ,Johanna'-Stück), Technikern, Wissenschaftlern und Forschern, in zwei Stücken auch am Schicksal der Arbeiter. Der technische Fortschritt, in der Lyrik völlig übergangen, wird analysiert und kritisiert. Mit grundsätzlicher Skepsis, aber aus dem Bewußtsein heraus, daß das Rad der Zeit nicht zurückgedreht, nicht einmal aufgehalten werden kann. In der Gewißheit auch, daß die Zeit der heroischen Einzelnen (des Arztes Purvis in ,Radium', Winnetous und Old Shatterhands in ,Fährten in die Prärie') vorbei ist und damit auch die Zeit des rauschhaften Naturerlebens, daß nun die Technokraten und Wirtschaftsmagnaten das Schicksal der Welt bestimmen.

Die Rolle der Dichter in dieser Welt ist definiert in den Figuren der Lyriker Chabannais (,Radium') und Patt (,Fährten in die Prärie'). Jener kommt mit seinen Gedichten auf den Frühling und das Ewige nicht mehr an. Da schreibt er Hymnen auf das

Radium und wird lyrischer Werbetexter beim Radiumkonzern, wo er den Fortschritt besingt, das Radium, das die Menschheit von der Geißel Krebs befreie. Als er seinen Irrtum einsieht, geht er in den Urwald. Patt war die große lyrische Hoffnung der Nation. Nun ist er an einer Brückenbaustelle mitten in der Prärie gelandet, versoffen, verhurt, verkommen und unnütz. Liefert der *Hörspielautor* Eich mit diesen beiden Figuren tragische Karikaturen des *Lyrikers* Eich? Heißt dies, daß die Zeit für seine Lyrik im Zeitalter der Konzerne und des brutalen technischen Fortschritts vorbei, ,,ein Gespräch über Bäume" (Brecht) unmöglich geworden ist? Eich hat in den Jahren 1932–1940, in denen über zwanzig Funkarbeiten entstanden sind, nicht mehr als zehn Gedichte geschrieben. Die radikale Hinwendung zum Hörspiel könnte Ratlosigkeit in Bezug auf das lyrische Schaffen enthalten. Die in der Diskussion mit Diebold so sicher vertretene Position (s. S. 18) wäre dann spätestens ab 1936 ins Wanken geraten. Die verbreitete These, daß der *Lyriker* Eich zum *Hörspielautor* prädestiniert gewesen sei (Günter Bien: ,,Lyrik und Funkdichtung sind so ineinander verzahnt, daß eines vom andern nicht zu trennen ist."[13]), ist in Frage zu stellen. Im Falle Eichs scheint der Lyriker gleichsam auf der Flucht vor sich selber zum Hörspiel gekommen zu sein.

4. Die Prosa der dreißiger Jahre

Als seinen ersten Prosatext hat Eich selbst ‚Eine Karte im Atlas' aus dem Jahr 1930 bezeichnet. Als der Text im Eich-Lesebuch erstmals wieder zugänglich war, stellte die Kritik gelegentlich fest, er lese sich wie ein früher ‚Maulwurf'. Was in dem kurzen Text an geschichtlichem und individuellem Schicksal abläuft, wie darin die Logik von Zeit und Raum aufgehoben ist zu Gunsten einer erweiterten Realität (,,Alle Bilder haben Teil an der Wirklichkeit", IV 195) – das läßt in der Tat den Vergleich mit den ‚Maulwürfen' von 1968 als zulässig erscheinen. Ein anderer Text, von 1931, mit dem Titel ‚Prosafragment' ist eine frühe

Reflexion über den ‚Schriftsteller vor der Realität' (s. Kap. III/7). „Das Abteil, die Gesichter der Zug: wozu existiert das? ... Ich will nur auf mich selbst hören, wollte irgendetwas schreiben, ein Romankapitel. Aber es scheint mir, daß ich nur noch ein Teil bin irgendeines Wesens, ich bin zu klein, um noch alles aufzufassen, oder die Welt hat sich vergrößert ... Welches ist die Wirklichkeit? Dieser Zug, D 25, oder der Bezirk, den ich allein ausfülle, ich will ihn meinen Traum nennen, den Bezirk, wo man allein ist ..." (IV 207) Da ist letztlich die Frage gestellt, ob der Wirklichkeit lyrisch oder episch beizukommen ist. Die Stelle erklärt auch schon andeutungsweise, warum Eich keinen Roman schreiben wird (1956 sagt er: „Ich habe wenig Hoffnung, einen Roman schreiben zu können", IV 442), und vor allem ist der Text – der ein poetischer, nicht ein theoretischer ist – ein frühes Beispiel dafür, wie Eich schreibend über das Schreiben und seine Möglichkeiten gegenüber der Realität nachdenkt. Ein Thema also, das einen wichtigen Teil der deutschen Literatur der sechziger Jahre beschäftigt.

Zwei andere Texte von 1931 sind prägnante Vergegenwärtigungen der Oder-Landschaft, aus der Eich stammt. In ‚Morgen an der Oder' (IV 196) ist der Vater zweier Fischer ertrunken. Tagelang finden sie ihn nicht. „In einer Nacht, als sie ausfuhren, die Aalreusen zu leeren, fanden sie die Leiche ... Der Kopf lag ... etwa zwanzig Zentimeter unter Wasser ... Die Augenhöhlen lagen schwarz und unkenntlich wie zwei Flecke dunkleren Wassers in der Haut. Der Mund war weit geöffnet, die Oberlippe zerschlagen, und ließ gelb eine Reihe Zähne glänzen. Der Körper lag schattenhaft, tiefer ins Wasser getaucht und bedeckt von den noch nicht zerfallenen Kleidern." Die Brüder beschließen, die Leiche erst zu bergen, nachdem sie die Reusen geleert haben. „Immerfort während der Arbeit sah Georg das Gesicht des Vaters vor sich, das lächelnde ... Daß es lachte, war ihm seltsam und unheimlich." Nach der Arbeit kommen sie zurück: „Einige Schritte vor dem Toten hielt er plötzlich an und hob die Laterne, um besser zu sehen. Quer über das Gesicht, den Mund und das Lachen einen Augenblick verdeckend, zog ein schmaler Schatten, sich bewegend und dann über den Sand der Buhne ins Wasser schnellend. Aus Ärmel und Hals kamen neue hervor, und als der Lichtschein die Kleider des Toten traf, bewegten sich auch dort die dunkleren Schatten. Sieh nur!, sagte Georg und ergriff den Arm des Bruders, es sind Aale da!" Darauf umwickeln sie den Leichnam mit Angelschnüren, binden ihn an den Wurzelstumpf einer alten Weide und schieben ihn wieder ins Wasser: ",... er pendelte lose im Wasser, vom Ufer her unsichtbar, verdeckt vom Gebüsch ... Wir werden heute hier Reusen auslegen, sagte er. Dann gingen sie hinauf zum Hause und sie sprachen davon, daß diesen Monat die Arbeit sich lohnen würde und daß sie nun eine Stelle hätten, wo der Aalfang gut wäre. Sie sprachen über die Wärme jetzt im September und über das neue Boot, das sie brauchten."

Eich findet in diesem Text die einer Landschaft und einem Menschenschlag gemäße Sprache, und er läßt in der Langsamkeit seiner Erzählwiese den ungeheuerlichen, makabren Vorgang so selbstverständlich, unanfechtbar werden, wie er es für die beiden Brüder eben ist. Es sind schwerfällige, überhaupt nicht soziable Menschen, die Eich in ihnen zeichnet, und vielleicht sind sie frühe Urbilder jener Abseitigen, Anarchisten, denen die Sympathie des späten Eich gehört. Auch der Bürgermeister in ‚Ein Begräbnis' (IV 205) gehört zu ihnen, mit seiner listigen, unbürokratischen Methode, eine im Dorf angeschwemmte Leiche loszuwerden, deren Begräbnis niemand bezahlen will: Er wirft sie nachts eigenhändig wieder in den Fluß, und „sie wurde 50 km unterhalb auf staatlichem Forstgelände angetrieben".

1935 erscheint der umfangreichste Text, den Eich zeitlebens geschrieben hat, die Erzählung ‚Katharina' (IV 209). Sie ist in der Ich-Form geschrieben. Aber das Ich ist eines aus der Distanz, und diese Distanz bestimmt die Sprache. Der Erzähler berichtet, wie er als Sechzehnjähriger bei seinem Großvater die Sommerferien verbringt. Der Großvater betreibt in einer kleinen Stadt im bayrischen Schwaben eine Gastwirtschaft, in der die zwanzigjährige Katharina Dienstmädchen ist. Der Junge verliebt sich in sie, aber sie ist die Geliebte des Landvermessers Tobler, der vorübergehend im Gasthaus logiert. Erst nach dessen Abreise kommen der Junge und Katharina einander näher. Sie wandern zusammen zu einem romantischen Waldschlößchen, wo (wie in Eichendorffs ‚Marmorbild‘) die Trümmer alter Statuen herumliegen. Aber anders als bei Eichendorff erwachen sie nicht mehr zum Leben, der Ausflug wird zum Abschied von der Romantik – und auch von Katharina. Sie erträgt es nicht, daß Tobler nichts mehr von ihr wissen will. Nachdem sie eine Nacht bei dem Jungen verbracht hat, springt sie in den Fluß. Es stellt sich heraus, daß auch der Großvater Katharina geliebt hat. Als er einige Tage nach ihrem Tod in einer Lotterie gewinnt, geht er mit dem Brief, der den Gewinn anzeigt, in Katharinas Zimmer. Der Junge hört ihn sprechen: „Hier ist der Brief. Sieh dir die Marke an, wenn du es nicht glaubst ... Dreitausend Mark gewonnen, dreitausend Mark, und dir hätte ich sie gegeben, ohne Zögern, du törichtes Kind ... Keinen Grund hast du gehabt, da immer noch jemand da war, der dich liebte. Ich verachte alle deine Gründe, ich hasse dich, weil du tot bist. Komm wieder, ich bitte dich, komm wieder ... Du warst das Lebendige in meiner Nähe, mußt du bedenken, jetzt , wo mich das Leben zu fliehen anfängt ...“ Erste und letzte Liebe geschehen nebeneinander in gleicher Intensität, aber es tritt auch unvereinbar die große Liebe Katharinas neben die flüchtige Toblers. Die Erzählung ist ein Versuch über die Pubertät und einer über das Alter, über Erotik und über Sexualität. Distanz und Bewußtheit, womit erzählt wird, überwinden nichts, Betroffenheit und Schmerz bleiben. „Heute wüßte ich wohl ihr Gesicht mit anderen Gesichtern zu vergleichen, wüßte ihr Haar dunkelblond zu benennen ... Ich gebe zu, daß mich vielleicht die Erinnerung täuscht ...“ – immer wieder schaltet sich der Erzähler in solchen Sätzen ein, schafft Gegenwart und Distanz zugleich. Im Halbschatten von Schmerz und Glück verlieren die Gestalten und Geschehnisse jeden sentimentalen, romantisierenden Dunst, wie das Thema ihn leicht ergeben könnte. Die Erzählung des noch nicht dreißigjährigen Eich erinnert im Nebeneinander von seelischer Betroffenheit und stilistischer Gelassenheit an die Art, wie der alte Keller auf das Erlebnis des jungen Heinrich mit Judith zurückblickt. Die Sprache der Erzählung ist wieder einer bestimmten Landschaft, unverwechselbaren Personen zugedacht, ist, wie sie, heller, transparenter als die Sprache der Oderlandschaft-Geschichten. Wenn es das überhaupt gibt, so ist eine solche Sprache, von einem Autor dieses Alters und in jenen Jahren geschrieben, die Sprache der inneren Emigration. Der Nazionalsozialismus ist seit zwei Jahren an der Macht, Deutschland rüstet auf. Sprache dieser Art leistet nicht Widerstand. Aber sie setzt sich ab: in die Problematik der Innenwelt, weil sie gegen diejenige der Außenwelt längst nichts mehr vermag.

Eichs Erzählung erreichte sieben Jahre später eine große Verbreitung als Feldpostausgabe. Daß sie im Krieg, an der Front gelesen wurde, zeigt, daß das Absetzbedürfnis des Autors und das seiner Leser sich getroffen haben.

5. Der Präsident

Eichs Theaterstück ‚Der Präsident‘ stammt aus dem Jahr 1931. Es wurde bis heute nicht aufgeführt, ist erhalten als Bühnenmanuskript und war als solches bis zum Erscheinen der Gesammelten Werke verschollen. Dabei ist ‚Der Präsident‘ das wohl interessanteste Werk Eichs aus den Vorkriegsjahren.

Der Wirtschaftsführer Georges Kalkar versucht zweimal, an die Macht zu kommen, beide Male wird er von Yvonne, seiner Frau, und seinem Sekretär verraten. In der letzten Szene des Stücks ist Georges allein, auf der Flucht, im Wald, irgendwo im Norden: ,,Und die Sterne sind kalt. Ist es denn wirklich schon Herbst? Vielleicht schon morgen, man hatte zuviel Vertrauen in die Regelmäßigkeit des Jahres … ich kann morgen aufwachen und es ist Juni und Herbst, die Gärten sind ergraut und gealtert, man friert, man friert.‘‘ (IV 129/30) Er sinnt den Stationen seines Lebens und seiner Flucht nach, während um ihn die Wölfe heulen und immer näher kommen. „Ich bin krank, und nur deshalb kann ich jetzt darauf verfallen, mir vorzustellen, wie ich sterbe, man reißt mich auseinander, meine Hände frißt dieser, meinen Bauch ein anderer, es ist ein lustiger Tod, denn nacher traben die Teile meines Fleisches verdaut und in den Bäuchen der Wölfe in alle Richtungen, ich gehe ein in das Blut vieler Tiere, irgendwann sterbe ich zum zweiten Mal, im Schnee oder südlich in den Felsen, nacheinander und vielleicht ist meine rechte große Zehe das letzte von mir, was stirbt."

Das Stück wirkt fremd in der Theaterlandschaft seiner Zeit. Es hat nichts gemein mit den im selben Jahr in Berlin uraufgeführten ‚Geschichten aus dem Wienerwald' von Horvath. Und schon gar nichts mit dem Knüller der Saison, Zuckmayers ‚Hauptmann von Köpenick'. Im Gegensatz zu Eichs Hörspielen von 1936/7 ist ‚Der Präsident' nicht von den gleichzeitigen Brecht-Stücken (‚Mahagonny', ‚Die heilige Johanna der Schlachthöfe') geprägt. Ein Vergleich mit den Barlach-Stücken der zwanziger Jahre könnte zeigen, daß Eichs Stück auch nicht an den Spätexpressionismus anschließt. Obwohl vieles dort unterzubringen ist. „Es genügte ein Tier zu sein" (‚Verse an vielen Abenden', I 9) – die Erinnerung an einen Vers wie diesen (aus einem von Eichs ersten Gedichten) stellt sich angesichts der zitierten Sterbeszene zu Recht ein. Aber das Motiv des Tierwerdens ist im Theaterstück zynisch-grotesk verzerrt. An der Beziehung von Georges und Yvonne mit Hingezogen- und Abgestoßensein, Verraten und Beistehen, könnten Strindberg'sche Züge aufgezeigt werden. Und die Hauptfigur Georges Kalkar weist in den fließenden Übergängen von Größe und Monstruosität streckenweise Ibsen-Zuschnitt auf.

Kalkars interessanteste Dimension aber weist auf den ganz späten Eich. Kalkar will aus der Erde „eine brauchbare Wüste machen ..." (IV 71) „Weil Seele eine verlorene Schlacht ist" (IV 72), will er ein Reich schaffen und beherrschen, „wo Seele verboten wäre, wo nichts der Natur gehörte". „Visionen von Nüchternheit im Auge, vertrocknet und selber auf eine Formel gebracht. Das sind die siegreichen Augenblicke." (IV 73) Visionen-Nüchternheit: das umschreibt die Paradoxie der Figur. Sie setzt sich fort in dem Paradoxon, daß Kalkar eine neue Welt schaffen will aus dem Vernichtungs- und Todestrieb heraus. ,,Wir werden wenigstens behaupten können, daß die Erde durch uns sich geändert hat. Wir werden es sein, die Wüsten geschaffen haben, wir werden die Wälder vernichten, durch uns sterben die Tiere, wir zerlegen die Ebenen und glätten eigenmächtig die Gebirge ... Da man zu Grunde geht, ist es besser, sich auf seine Art zu vernichten." (IV 72/3) Nachdem er gescheitert ist, faßt Kalkar zusammen: ,,Ich haßte immer die Natur, sie war der einzige Feind gegen den ich kämpfte." (IV 110) Die Natur als Alptraum des Menschen: Fast vierzig Jahre später taucht sie bei Eich wieder so auf, im Maulwurf ,Hausgenossen' (I 312), wo sie als ,,Mutter Natur" mit ,,Vater Staat" assoziiert ist. Und noch 1971 äußert Eich in einem Interview, daß er ,,engagiert sei gegen das Establishment, nicht nur in der Gesellschaft, sondern in der ganzen Schöpfung". (IV 414) Früher sei er ein Naturdichter gewesen, der die Schöpfung akzeptiert habe: ,,Heute akzeptiere ich die Natur nicht mehr: wenn sie auch unabänderlich ist."

Kalkar als genialische Abart, aber doch Vorwegnahme des alten Eich? Die beiden haben außer ihrer Gegnerschaft zur Natur auch Müdigkeit und Scheitern gemeinsam. Bei Kalkar schließen sie allerdings Bekehrung ein: er findet im Sterben zur Natur zurück. Sie ist für den jungen Eich – und da unterscheidet er sich vom alten – auch in ihrer Grausamkeit (Motiv der Wölfe, Tod) sinnvoll.

6. Günter Eich und das Theater

Eich hat 1933 ein weiteres Theaterstück geschrieben: ,Die Glücksritter', ein Lustspiel nach Eichendorff. Die Eichendorff-sche Romantik – und das allein macht die Bearbeitung bemerkenswert – erscheint darin als gebrochen. Der Verfall ist gegenüber der Vorlage fortgeschritten, die Eichendorff-Welt etwas verrottet, ein verwunschenes Schloß härter beschrieben als in der Erzählung: ,,Da wächst das Gras aus den Steinen, da singt kein Vogel ringsum, und kein Fenster wird jemals geöffnet." (IV 175) Eine halb schmerzliche, halb spöttische Distanz ist in das Theaterstück hineingearbeitet: ,,Wahrscheinlich gibt es den Mann gar nicht, der aus dem Walde gekommen ist und die Sprache der Vögel versteht!" (IV 138) Auch ein Satz wie: ,,Langeweile wird immer höher an mir heraufkriechen" (IV 178) tönt bitterer als die entsprechende Formulierung bei Eichendorff (,,Nichts langweiliger als das Glück") und läßt Eichs romantisches Stück stellenweise als Abschied von der Romantik erscheinen.

Erst gegen Ende der fünfziger Jahre (der Zeit der Krise in seinem Hörspielschaffen) beschäftigt sich Eich erneut mit dem Theater. Aus dem Jahr 1958 ist das Fragment eines Theaterstücks oder Einakters erhalten, mit dem Titel ,Alte Regensburger'. Katrin und Kunz, Mutter und Sohn, sitzen unter einer Brücke, ,,auf den Kieseln, an einen Pfeiler gelehnt. Beide eisgrau und zerlumpt". (IV 187) Sie warten dort das Ende des dreißigjährigen Krieges ab. Sie werden entdeckt von Hinz, der oben mit dem Fahrrad über die Brücke fährt, dann zu den beiden heruntersteigt und sich als Versicherungsagent vorstellt. Auf die Frage, ob der Krieg vorbei sei, erwidert er, er habe noch gar nicht angefangen. Er versucht, der Alten eine Studienversicherung für ihren Sohn anzudrehen. ,,*Katrin:* Er soll was werden. *Kunz:* Eine Idee von ihr, die mich nicht glücklich macht." (IV 189) Eichs Stück wäre möglicherweise eines der in der deutschen Literatur seltenen Beispiele absurden Theaters geworden, wobei anders als in den meisten absurden Theaterstücken bei Eich die Zeit nicht aufgehoben, sondern systematisch durcheinandergebracht ist.

Das Stück blieb, wie gesagt, Fragment. Die Marionettenspiele, die Eich in den beiden folgenden Jahren schreibt, sind noch einmal so etwas wie eine Finte, um dem Theater auszuweichen. Aber das Thema Theater ist damit nicht erledigt. Zu Anfang der sechziger Jahre hatte Kurt Hirschfeld, damals Direktor des Züricher Schauspielhauses, Eich erneut beinahe so weit, daß er fürs

Theater schrieb. Noch 1965, nach Hirschfelds Tod, äußert Eich in einem Interview, er wolle sich „in nächster Zeit dem Theaterstück widmen". (IV 406) Es wurde noch einmal nichts daraus. Erst 1971 beginnt Eich eine Serie von etwa zehn Kurztheaterstücken zu schreiben. Bei seinem Tod waren mindestens zwei provisorisch fertiggestellt (mit den Titeln ‚Ganze Familie von umstürzendem Schrank erschlagen' und ‚Alte Wolfsfährte').

An dieser Stelle ist der Kreis nach rückwärts zu schließen. Eichs Studienfreund Willi Fehse berichtet,[14] daß Eich während seines Studiums in Paris und auch nachher noch in Berlin fast ausschließlich an Dramenentwürfen gearbeitet habe und daß er auf diese nichts habe kommen lassen. Aber diese Entwürfe wären alle unaufführbar gewesen, sie wandten sich an ein Publikum, das eine innere Bühne in sich hätte tragen müssen. Fehse schließt daraus, daß sich in Eichs Entwürfen für das Theater die Hörspielform herangebildet habe.

Und darüber herrscht ein allgemeiner Consensus: daß Eich folgerichtig und unausweichlich zum Hörspielautor par excellence geworden sei. Angesichts von zwei Theaterstücken und der Tatsache, daß Eich am Anfang und Ende seiner schriftstellerischen Laufbahn ernsthaft und zwischenhindurch gelegentlich Theaterstücke zu schreiben versuchte, wirkt die Sicherheit, womit die Eich-Forschung den Autor fürs Theater abschreibt, vorschnell. Vielleicht hat sie auch allzu lange oder zu unbedacht des Autors eigene Zweifel gestützt, statt ihnen zu widersprechen. Eich ist *auch* ein verhinderter Dramatiker. Sein Interesse fürs Theater ist offensichtlich. Daß er selber den Theater- und Fernsehinszenierungen seiner Hörspiele kritisch gegenüberstand, beweist nicht Skepsis gegen das Theater, sondern die Einsicht, daß es andere Gesetze fordert als das Hörspiel. Daß Eich nicht fürs Theater geschrieben hat, ist weder folgerichtig noch unvermeidlich, sondern angesichts dessen, was Eich dem Medium Funk gegeben hat, zu bedauern.

7. Europa contra China – Eichs Auseinandersetzung mit dem Osten

Eich hat sein Sinologiestudium nicht beendet. Aber es hat Früchte gezeitigt bis in seine letzte Schaffensphase. Die Schönste wohl: etwa hundert Übertragungen chinesischer Lyrik. (IV 327) 1950 hat Eich den Unterschied chinesischen und abendländischen Geistes anhand der Sprachen definiert: ,,Unsere Sprache zerlegt – wir sind geneigt, die Welt zu analysieren, der östliche Mensch bewahrt die Einheit, ihm liegt alles Zergliedern fern; unsere Sprache zielt auf den wissenschaftlichen Menschen, die chinesische auf den weisen." (,Chinesisch', I 317) Die Formel vom wissenschaftlichen und weisen Menschen spielt an auf eine Spannung zwischen China und dem Abendland, die Eich sowohl existentiell erfahren als auch in literarische Formen umgesetzt hat. Seit dem Gedichtband ,Abgelegene Gehöfte' und vermehrt in den späteren Gedichtbänden ist denn auch vielfach chinesisches Gedanken- und Formengut in Eichs Lyrik festgestellt und von Eich selber bestätigt worden.

In ,Fußnote zu Rom' (I 130), einem Gedicht von 1963, werden die beiden Welten wertend gegen einander gehalten:

> Ich werfe keine Münzen in den Brunnen,
> ich will nicht wiederkommen.
>
> Zuviel Abendland,
> verdächtig.
>
> Zuviel Welt ausgespart.
> Keine Möglichkeit
> für Steingärten.

Die abendländische Kultur ist erlebt als das unreflektiert, unmeditiert Tradierte und Übernommene. Dem gegenüber die japanischen Steingärten, kunstvolle Anlagen verschiedener Steinsorten und -formen. Auch sie bedeuten Verfestigung, aber eine, hinter der Meditation steht. Sie anzulegen ist bereits ein

Akt der Meditation, und sie sind gedacht als Orte einer Meditation, die auf das Ganze der Welt zielt, während in der ‚versteinerten' Kultur des Abendlandes „zuviel Welt ausgespart" ist.

Am Anfang der Auseinandersetzung mit dem Osten wertete Eich umgekehrt. In dem verblüffenden Aufsatz ‚Europa contra China' (IV 311) wendet sich der zwanzigjährige Sinologiestudent scharf gegen den chinesischen Geist und jene, die ihn Europa als Heilmittel verschreiben wollen. „Da ist Confucius, die Quintessenz des Chinesentums, ein nüchternes Holzgestell mit moralischem Anstrich, der ganze Mann ein drohend erhobener Zeigefinger." Eich kritisiert, daß keiner der chinesischen Denker „den Weg zum Einklang mit der Natur", den alle lehren, je daraufhin untersucht, ob er wirklich zu begehen sei. „Wer wirklich ein Teil von ihr (sc. der Natur) sein wollte, müßte weitergehen als Laotse; der radikalste Chinese müßte ein Tier werden, denn Kultur beginnt mit dem Bewußtsein ... Läßt uns unser Mehr, das wir eintauschten für das Glück des Unterbewußten, läßt es uns wieder los?" Eich schließt mit einer Attacke gegen Rousseau, „diesen Chinesen ohne China", und einer fulminanten Verteidigung des Abendlandes: „Europa ist kühl und schön, was es tut, ist das einzige, was wir tun können: Weiter an dieser Kultur zu schaffen, auch wenn sie nicht von Ewigkeit ist, nur ein Fragment (aber ein grandioses). Der Chinese will sich anpassen, der Europäer zwingt der Natur sein Werk auf, das ist der einzige, der notwendige, vielleicht auch resignierte Standpunkt ... Wir sind Menschen, wir können nicht blühen und im großen Strome sein, wir sind uns selber anderes schuldig."

Partiell ist die vehemente Stellungnahme zu begreifen. Sie richtet sich, und und da entspricht sie durchaus Eich, gegen das Modische an der Beschäftigung mit dem Osten. Einen andern Hinweis bietet Willi Fehse, der vermutet, Eichs Aufsatz sei die Antwort auf einen Artikel, worin er, Fehse, „östliches Weltgefühl" in Eichs Lyrik festgestellt habe.[15] Eichs Reaktion, auch da ist er vertraut, gälte dann dem Versuch, ihn zu klassifizieren, zu etikettieren.

Die Widersprüche zwischen der früheren und späteren Stellungnahme sind zu erklären: daß Eich in ‚Fußnote zu Rom' am Osten die Anti-Natur fasziniert, während ihn im Aufsatz die Naturverbundenheit am chinesischen Denken störte; daß er 1927 den fragmentarischen Entwurf, den das Abendland darstellt, pries, während er ihn im Gedicht von 1963 kritisiert („zuviel Welt ausgespart"); daß er überhaupt im Verlauf seines Lebens zu einer diametral entgegengesetzten Wertung der beiden Zivilisationen gelangt – das alles mag auf neuen Einsichten beruhen, mit Eichs Entwicklung allgemein zusammenhängen, und, was die Ablehnung des Abendländischen angeht, vor allem mit seinem wachsenden Pessimismus in Bezug auf die Welt, in der er lebte.

Wie aber ist die fast höhnische Distanzierung von jeder Natursehnsucht im Aufsatz zu vereinbaren mit dem gleichzeitig in den Gedichten immer wieder formulierten Wunsch nach Vereinigung mit der Natur? („Einmal hattest du die Füße eines Baumes / und du warst im Hafen der Erde verankert. / Du mußt wieder dorthin zurückkehren, / den alten Regen trinken und Blätter gebären." (‚Verse an vielen Abenden', I 9) Es besteht kein Anlaß, die Lyrik jener Zeit als traditionsbedingte Pflichtübung einzuschätzen, aber auch keiner, die Glaubwürdigkeit der im Aufsatz geäußerten Überzeugung in Zweifel zu ziehen. Das Verhältnis der Aufsatz-Thesen zum gleichzeitig entstandenen lyrischen Werk Eichs ist eine der Fragen, die der Aufsatz aufwirft, aber nicht beantwortet. So wenig wie eine andere, primitivere: die Frage, warum Eich bei seiner Einstellung zur chinesischen Kultur und Geschichte ausgerechnet Sinologie studierte.

Der Text bleibt in seiner Radikalität und mit allen Widersprüchen zu Eichs gleichzeitigem und späterem Werk ein instruktives, faszinierendes Beispiel dafür, wie und mit welcher Intensität Eichs Frühwerk immer wieder das vorwegnimmt, kontrapunktiert, variiert und erläutert, was Eich später beschäftigt, was er später gestaltet.

III. 1946–1958

Alles was geschieht, geht dich an

1. Einleitung

Seit einigen Jahren ist es schwierig geworden, sich die literarische Situation unmittelbar nach dem zweiten Weltkrieg zu vergegenwärtigen. Während zwanzig Jahren hielt man sich an Formeln wie *Kahlschlag* oder *Stunde Null*. Die These von der tabula rasa und dem totalen Neubeginn, die für die Literatur jener Jahre unangefochten war, hatte auch bei der Rezeption dieser Literatur Geltung. Walter Jens, selber ein Autor der ersten Jahre nach dem Krieg, konnte noch 1961 emphatisch formulieren: ,,1945 . . ., in einer tabula rasa-Situation, war man wortwörtlich auf sich selbst gestellt.‘‘[16] Und Hans-Werner Richter hatte schon 1946 kategorisch festgestellt: ,,Jede Anknüpfungsmöglichkeit nach hinten, jeder Versuch wieder zu beginnen, wo 1933 eine ältere Generation ihre kontinuierliche Entwicklungslaufbahn verließ, um vor einem irrationalistischen Abenteuer zu kapitulieren, wirkt . . . wie eine Paradoxie.‘‘[17] Aber noch lange später sahen Autoren wie Böll und Schnurre ihre Situation nach dem Krieg ausgesprochen dramatisch und mythisch: ,,Jedem Und, jedem Adjektiv gegenüber war Vorsicht geboten.‘‘[18]

Seither ist nachgewiesen worden, daß Wörter und Sprache einen Krieg oft besser überstehen als Menschen und Mauern. Urs Widmer kommt 1966 in einer Untersuchung zu dem Resultat, daß die Autoren damals ,,sich von den vernebelten Begriffen, die das Dritte Reich geschaffen hat, nicht lösen können. Im gleichen diffusen Stil wird weitergeschrieben.‘‘[19] Heinrich Vormweg stellt 1971 im Reclam-Band ,Die deutsche Literatur der Gegenwart‘ seinen Beitrag über die Literatur 1945–60 unter den programmatischen Titel: ,Keine Stunde Null.‘[20] Und

Brinkmann nennt 1973 in ‚Kindlers Literaturgeschichte der Gegenwart' den Kahlschlag „eher ein erfolgreiches Gerücht und eine Wunschvorstellung ... als etwas in der Literatur Wirkliches".[21] Daß der Neubeginn, jedenfalls was die ästhetischen Phänomene angeht (Sprache und Stil also), mehr Vorsatz als Tatsache war, ist schwer zu bestreiten. Obschon trotz der Beweisführung Vormwegs und anderer nach wie vor zu beachten und zu interpretieren bleibt, daß die Schriftsteller jener Jahre das Bedürfnis hatten, ihre Situation als Stunde Null zu empfinden.

Etwas anderes macht den unverstellten Blick auf die Situation der Nachkriegszeit schwierig. Es ist das Phänomen der Gruppe 47. Zwei Jahre nach dem Krieg gegründet, prägte sie von der zweiten Hälfte des folgenden Jahrzehnts an und bis gegen Ende der sechziger Jahre das literarische Leben Deutschlands so sehr, daß ihre anfängliche Lage heute falsch gesehen werden könnte. Die Gruppe 47 wurde allmählich identisch mit der deutschen Nachkriegsliteratur. Dies in einem Ausmaß, daß diejenigen, die ihr nicht angehörten, 1967 in einer Anthologie unter dem verräterischen Titel ‚außerdem – Deutsche Literatur minus Gruppe 47 gleich wieviel' in Erinnerung gerufen werden mußten. Und bis heute hat es (abgesehen von den Schweizern Frisch und Dürrenmatt) kein deutschsprachiger Autor zu internationalem Ansehen gebracht, der nicht Mitglied der Gruppe war. Angesichts dieser Entwicklung der Gruppe 47 muß festgehalten werden, daß sich unter ihren ersten Mitgliedern überhaupt kein Autor mit Renommee befand. Einige hatten wohl schon vor 1933 veröffentlicht. Die Schriftsteller aber, die unmittelbar nach dem Krieg die deutsche Literatur ausmachten, waren erstens diejenigen, die schon vor 1933 Klassiker waren (Thomas Mann, Hesse, für die Lyrik Rilke und Benn), und zweitens eine ganze Reihe von Autoren, die auch während der Kriegsjahre in Deutschland gedruckt wurden, obwohl sie nicht mit dem Nationalsozialismus paktierten: Ernst und Friedrich Georg Jünger, Gertrud von Le Fort, Bergengruen und (der zeitweise inhaftierte) Ernst Wiechert. In personeller Hinsicht stellt demnach die Gruppe 47 einen Neubeginn in der deutschen Literatur dar. Ihre Mitglieder mußten sich gegen die Schriftsteller der inneren und äußeren Emigration durchsetzen.

Eich hat sich nur einmal zur damaligen Situation des Schriftstellers geäußert: in einem Aufsatz von 1947 (IV 392), der damals nicht erschienen ist. Eich gibt dem Schriftsteller den Namen Rönne und weist damit auf das Autobiographische seiner Ausführungen – Rönne ist eine literarische Figur des jungen Benn mit stark autobiographischen Zügen. Eichs Stellungnahme nimmt andeutungsweise die These vorweg, daß das Jahr 1946 keine Stunde Null gewesen sei. Eich beginnt mit der Feststellung, daß es dem Schriftsteller „nicht besser und nicht schlechter" ergangen sei und noch ergehe als „Millionen anderen". Und seine Situation sei wie diejenige aller „der Zwang zur Wahrheit". Was andere später als Neubeginn bezeichnen, nennt Eich den „Vorgang der Verwandlung"; und ausdrücklich heißt es über diesen: „Er hat ... nicht genau nach dem zweiten Weltkrieg begonnen, sondern dauert schon länger an. Das Tempo freilich hat sich beschleunigt." Eich stellt an den Schriftsteller von 1947 die Forderung nach einer „immer stärkeren Aktivierung ... Seine Aufgabe hat sich vom Ästhetischen zum Politischen gewendet ... Die Verkapselung in die private Sphäre wird undicht. Die Atomkraft zertrümmert die starken Mauern, die sich die Seele errichtet hat; durch die Breschen pfeift der kalte Wind der unentrinnbaren Wirklichkeit. Da Schreiben ein Akt der Erkenntnis ist, ist die Situation des Schriftstellers die eines vorgeschobenen Postens."

Das ist Eichs programmatischer Ausgangspunkt für die schriftstellerische Konfrontation mit den kommenden Jahren. Er steht wie alle damaligen Autoren (ohne die Situation so dramatisch und singulär zu sehen wie einige von ihnen) unter einem doppelten Zwang (oder auch vor einer Wahl): Einerseits gilt es, sich der Vergangenheit zu stellen, dem Nationalsozialismus, dem Krieg, der Judenausrottung, dem Problem der Kollektivschuld; und andererseits sollte die „unentrinnbare Wirklichkeit" der unmittelbaren Gegenwart thematisiert werden. Sie liefert bereits wieder Themen im Überfluß. Die Atombombe von Hiroshima ist veraltet, bald nach dem Krieg beginnen die Wasserstoffbombenversuche auf dem Bikiniatoll; in den frühen fünfziger Jahren tobt der Koreakrieg. Und in Europa stellt sich langsam wieder Behaglichkeit ein, weil nicht nur Bikini und Korea, sondern auch der zweite Weltkrieg und Dachau weit entfernt sind. Die Adenauer-Ära erweist sich, nachdem der Wiederaufbau einmal geleistet ist, keineswegs als Neubeginn, sondern als Restauration und reaktionär auf der ganzen Linie. Bereits 1955 wird vom Bundestag der Deutschlandvertrag ratifiziert und damit die Wiederbewaffnung beschlossen. ,,Vorgeschobene Posten" stehen wieder mitten im Gefecht.

2. Die Prosa

Eich beginnt nach dem Krieg gleichzeitig Prosa und Lyrik zu schreiben. Keiner seiner Prosatexte ist in der Kriegssituation angesiedelt. Ihre Thematik setzt in der Nachkriegszeit an. Es geht um Heimkehrerprobleme, die verlorenen Ostgebiete, Wiedereingliederung ins Berufsleben, Schwarzhandel. Einige der Texte sind von erstaunlicher Hellhörigkeit in Bezug auf die sich abzeichnenden Entwicklungen. Im ‚Brief eines Zwölfenders‘[22] läßt Eich einen ehemaligen Soldaten an einen Kriegskameraden schreiben, dem es schlecht geht: ,,Menschenskind, wenn du natürlich wieder als Schuster angefangen hast, dann wundere ich mich nicht ... schließlich gibt es für uns Berufssoldaten doch noch etwas anderes. Ich zum Beispiel habe, bevor ich Soldat wurde, überhaupt nichts gelernt und mir geht es jetzt prima. Ich bin bei der Polizei." Der Schreiber gerät in ein erinnerungsseliges Schwärmen: ,,Ach, das Exercieren ist schön, wenn man vor der Front steht und eine kräftige Stimme hat ... Und haben wir nicht den Krieg gut rumgebracht? Der Rotwein in Frankreich und der Speck in Polen waren doch gut, nicht? ... Mensch, nimm mir's nicht übel, aber du bist ein Rindvieh! Diese Chancen! Wo wir doch alle nicht in der Partei waren ... Wir sind doch alle unbelastet! Uns steht alles offen und vor allem die Polizei, und das ist das beste für uns! Das Schöne ist: Man verkörpert das Gesetz und die Ordnung ... Und die Demokratie, das ist ja jetzt die Freiheit, und deswegen passen wir auch gut in die jetzige Zeit." Für Eich – früher als für die meisten – beginnt sich schon die neue Gefahr abzuzeichnen: der allzu nahtlose Übergang, vom Militär- in den Polizeistaat, von der alten zur neuen Begriffsvernebelung und Phrasenhaftigkeit, wobei das Personal nicht einmal ausgewechselt zu werden braucht.

Ein anderer Text von 1947, ‚Zwischen zwei Stationen' (IV 268), gibt ein Gespräch im Zug wider. Zwei entlassene Soldaten sind auf dem Weg in ein Gebiet, das einst deutsch war, jetzt zu Polen gehört. Die beiden haben im Sinn, Polen zu werden. Eine Mitreisende kann nicht verstehen, daß jemand, der „eigentlich doch Deutscher ist", Pole werden kann. Die beiden berichten, daß sie im Krieg der eine einen Arm, der andere ein Auge verloren haben, Deutschland aber nach ihrer Rückkehr nichts von ihnen wissen will: „Ja, man hat uns beigebracht, was wir für Idioten waren! – ... Trotzdem, meinte die Frau, trotzdem, es ist doch furchtbar! – Wieso furchtbar? Was ist furchtbar? – Daß Sie nun Pole werden." Der antivaterländische Text nimmt voraus und erklärt jahrzehntelange Diskussionen über die westdeutsche Ostpolitik, er ahnt einen neuen Nationalismus und Revanchismus. Ein anderer Heimkehrer, in ‚Eine ungewöhnliche Nacht' (IV 266), erzählt, wie er seit Kriegsende mit seinen aus dem Krieg geretteten Habseligkeiten in Deutschland herumvagabundiert. Einmal besucht er einen ehemaligen Kameraden, der ihm vorschlägt, bei ihm und seiner Familie zu bleiben und Tischlerlehrling zu werden. Der Vagabund will es über Nacht bedenken. Am andern Morgen, „als ich die Augen aufschlug, fühlte ich etwas Hartes unterm Kopf, ich hatte auf dem Rucksack gelegen statt auf dem Kissen ... Ich war in die Zeltbahn gewickelt ... Den einen Schuh hatte ich mit den Riemen an einen Zeltbahnknopf gebunden, den andern durch ein sinnreiches System in unlösbare Verbindung mit Rucksack, Rasierzeug und meinem rechten Mittelfinger gebracht. Handtuch, Jacke und Hose waren in das raffinierte Sicherungsgeflecht eingebaut, wie ich es an jedem Abend meines Nachkriegslebens zu knüpfen gewöhnt war." Der Erzähler erkennt, daß er sich „nicht mehr eignete für das bürgerliche Glück", und er schleicht traurig davon.

Eich reagiert vielfach satirisch auf die bedrängenden Erfahrungen der Nachkriegszeit. Oder sogar mit Galgenhumor und Blödelei, Möglichkeiten, die der Autor erst in der letzten Schaffensperiode voll ausnützt und die dort eine unverwechselbare Reaktion auf die wachsende Verzweiflung sind. Den einen oder andern ,Maulwurf'-Einfall gibt es jetzt schon. „Um endlich aus der Vogelperspektive herauszukommen – die Froschperspektive wäre mir angemessener." „Aberg, Beberg, Ceberg."

Die Nachriegsprosa schließt sprachlich nicht an diejenige der dreißiger Jahre an. Wo Relikte vorhanden sind, sollen sie Zitatcharakter haben und damit Distanz aufdecken. „Es war im Sommer, auf manchen Feldern hatte die Erde schon begonnen, man sah die ersten Kornmandeln. Es war ein schöner Tag. Durfte man sich freuen?" (,Zwischen zwei Stationen', IV 268) Die Frage am Ende des Zitats heißt auch: Darf man darüber schreiben?

Eich ist aber weniger sprachlich unverwechselbar als thematisch. Er schreibt, grob gesagt, die Sprache der Gruppe 47. Das läßt sich zeigen an Eichs berühmtesten Prosatext, ,Züge im Nebel', von 1947. Ein Schwarzhändler, der Güterzüge plündert, wird ausgerechnet von seinem jüngeren Bruder erwischt. Der Schwarzhändler hatte ihn nach dem Tod der Mutter aufgezogen, dann aber während des Krieges und in den Nachkriegsjahren aus den Augen verloren. Der Jüngere war Bahnpolizist geworden und sagt, als er seinen Bruder erkennt: „Ich schäme mich auch schrecklich, lauter so große Worte in den Mund zu nehmen, aber alles, was rein und stark war, und fest und sicher und treu und anständig und ehrlich, alles was gut war, das warst du." (IV 263) Er läßt den Bruder laufen, aber er hat ein Ideal verloren. Der Ältere spürt das: „Und wer ist schuld, wenn er vor die Hunde geht? Ich, ich, ich, ich, ich … Ach, mein kleiner Bruder, mein kleiner Bruder." (IV 265) Die spannende, aber moralisierende und larmoyante Erzählung sucht eben diese Tendenzen durch eine schnoddrige und anbiedernde Sprache zu brechen: „... und Stanislaus ging noch schnell bei Paula vorbei, die ist Magd nebenan." „Ich hatte nämlich keine Lust, irgendein Stück von mir auf die Schienen zu legen, wenn grade was drüber fährt." (IV 257) Das ist der unterkühlte Landser-Realismus, die der Emotion abgerungene Nüchternheit der Autoren der Gruppe 47 unmittelbar nach dem Krieg. Die Zitate zeigen, wie paradox ihre Situation war: Die Schriftsteller fühlen sich verpflichtet, wieder neue Werte zu vertreten, aber sie haben noch keine neuen Wörter dafür zur Verfügung und entschuldigen sich für die Verwendung der alten. „Ich schäme mich auch schrecklich, lauter so große Worte in den Mund zu nehmen ..."

In seiner nächsten großen Erzählung, ‚Der Stelzengänger' von 1954, hat Eich sich vom damals vorherrschenden Gruppenstil freigeschrieben. Der Mann, der Bestellungen für Schuhcrème aufnimmt und dann gleich noch als Stelzengänger für die Firma Reklame macht, ist eine Figur ganz von Eichschem Zuschnitt und Format. Das Clowneske und das Fanatische halten sich die Waage, der Idealismus ist belächelns- und bestaunenswert zugleich, das Glück, das der Stelzengänger als einziger gefunden zu haben behauptet, macht ihn halb verdächtig, und halb erweckt es Neugier und Sehnsucht. „Man verzeihe mir, daß ich glücklich bin. Ich möchte mein Glück nicht nur für mich, – ich möchte es auch anderen mitteilen, und bisweilen glaube ich, daß es mir gelingt ... Da, wo die erste Laterne brennt, beuge ich mich hinab und blicke in das heiße, gerötete Gesicht eines Kindes. Es schaut mich an, und in seinen Augen sehe ich die Flamme der Begeisterung leuchten, die nie mehr erlöschen wird. So ist es bisweilen." (IV 293)

Ist das Naivität oder höchstes Bewußtsein, sind es Illusionen oder Einsichten? Ist die Einsamkeit des Stelzengängers diejenige des Künstlers, und ist sie, falls es so ist, Bescheidenheit oder Arroganz? Die letzten Sätze von Eichs Text lassen offen, sie aktivieren den Leser, setzen ihn auf die Erzählung an.

Eich hat in der Folge kaum noch Prosa geschrieben, wenn man nicht die ‚Maulwürfe‘ als solche bezeichnen will. Aus der Zeit des ‚Stelzengängers‘ und den Jahren danach existieren noch ein paar anekdotisch kurze Texte und einige Fragmente. Darunter, als letzte Prosaversuche, zwei Fragmente mit dem Titel ‚Die große Verschwörung‘. 1957 entstanden, sind sie deshalb von Interesse, weil sie das einzige Beispiel dafür sind, daß Eich ein Hörspielthema zunächst in Prosaform anzugehen versuchte. Das Hörspiel, ‚Philidors Verteidigung‘, wird im Jahr darauf geschrieben.

In den Gesammelten Werken finden sich immerhin gegen hundert Seiten Prosa. Eich scheint sie großenteils, wenn nicht aus seiner, so doch aus der Erinnerung seiner Leser verdrängt zu haben. Zwar traf Eichs Distanzierung vom früheren Werk nicht nur die Prosa. Aber ihr gegenüber ist sie besonders radikal. Er ließ, nach langem Widerstreben, immerhin zu, daß der Gedichtband ‚Abgelegene Gehöfte‘ neu aufgelegt wurde. Und er gestattete die Zusammenstellung eines Bandes mit fünfzehn Hörspielen, obwohl er nur seine vier letzten gelten lassen wollte und von den andern sagte: ,,Ich kann sie leider nicht mehr auslöschen.“ (IV 414) Von seinen Prosatexten aber hat er nur gerade den ‚Stelzengänger‘ nicht verleugnet. Den ständigen Nachdruck von ‚Züge im Nebel‘ in Anthologien und Lesebüchern hat er immer wieder (und vergeblich) zu verhindern versucht. Das ist zu verstehen. Die Erzählung, in ihrer Sprache und Moral gleichermaßen zugänglich und schulgemäß, bedeutete für ganze Klassen von Schülern (und entsprechend viele Leser) die einzige Konfrontation mit dem Autor Eich. Er wurde identifiziert mit einer Position, die längst nicht mehr die seine war, es möglicherweise (vor allem sprachlich) nie gewesen ist.

Daß Eich in Bezug auf seine unmittelbar nach dem Krieg entstandene Prosa rasch skeptisch wurde, läßt sich aus der Tatsache schließen, daß nach 1947/8 die zunächst sehr intensive Beschäftigung mit Prosa für sechs Jahre abbrach. Er scheint nach dem Krieg seinen persönlichen Stil in der Prosa weniger leicht gefunden zu haben als in der Lyrik und bald auch im Hörspiel.

Immerhin sind während fast dreißig Jahren immer wieder Bemühungen Eichs um die Prosa festzustellen. Dabei ergeben sich Schwerpunkte zu Beginn (1930–32) und am Wiederbeginn (1946–48) seines Schaffens. Sie lassen sich verstehen als verbissene Versuche, denen jeweils rasch die Resignation folgte. Ob sie unvermeidlich war, ist schwer abzuschätzen. Eich hat sie möglicherweise noch 1956 in Vézelay begründet (sofern man Prosa und Roman einfach gleichsetzen darf): „Der Roman hat mit dem Zeitpunkt zu tun, das im Deutschen mit Recht auch Tätigkeitswort heißt. In den Bereich des Zeitworts aber bin ich nicht vorgedrungen. Allein für das Dingwort brauche ich gewiß noch einige Jahrzehnte." (IV 442)

4. Die Gedichtbände ‚Abgelegene Gehöfte‘, ‚Untergrundbahn‘ und ‚Botschaften des Regens‘

Ich bin wo der Eichelhäher
zwischen den Zweigen streicht,
einem Geheimnis näher,
das nicht ins Bewußtsein reicht.

Es preßt mir Herz und Lunge,
nimmt jäh mir den Atem fort,
es liegt mir auf der Zunge,
doch gibt es dafür kein Wort.

Ich weiß nicht, welches der Dinge
oder ob es die Nacht enthält.
Das Rauschen der Vogelschwinge,
begreift es den Sinn der Welt?

Der Häher warf seine blaue
Feder in den Sand.

Sie liegt wie eine schlaue
Antwort in meiner Hand.

Der Häher wirft mir
die blaue Feder nicht zu.

In die Morgendämmerung kollern
die Eicheln seiner Schreie.
Ein bitteres Mehl, die Speise
des ganzen Tags.

Hinter dem roten Laub
hackt er mit hartem Schnabel
tagsüber die Nacht
aus Ästen und Baumfrüchten,
ein Tuch, das er über mich zieht.

Sein Flug gleicht dem Herzschlag.
Wo schläft er aber
und wem gleicht sein Schlaf?
Ungesehen liegt in der Finsternis
die Feder vor meinem Schuh.

Zweimal sechzehn Verse, je vier Strophen und dasselbe Motiv.
Aber die beiden Gedichte ,Die Häherfeder‘ (I 43) und ,Tage mit
Hähern‘ (I 79) markieren den Weg von ,Abgelegene Gehöfte‘
(1948) zu ,Botschaften des Regens‘ (1955).

Im ersten Gedicht: eine strenge Form; Strophen- und Reimschema sind vertraut, der Rhythmus ist zugänglich. Im zweiten
Gedicht sind die Strophen nicht *gegeben,* sie *ergeben* sich; die
Klangschönheit eines Reims ist undenkbar geworden, der
Rhythmus sperrig, zum prosaischen tendierend. Selbstverständlich ist die spätere Form nicht weniger bewußt. Sie entspricht dem neuen Bewußtseinsstand. In ,Die Häherfeder‘ führt
eine einfache Naturbeobachtung (ein Häher, der durch die

Zweige streift) für einen Augenblick an die Geheimnisse der Existenz („Sinn der Welt"). Der Augenblick ist ungeheuer dramatisch (zweite Strophe), er kann nicht genau beschrieben, nur mystisch eingekreist werden. Er offenbart und entzieht sich gleichzeitig (Antwort – schlaue). Das Mysterium bleibt eines, das Geheimnis wird nicht gelüftet – aber es fehlt ganz wenig, und der Schlüssel wäre gefunden, der den Punkt wieder erschließen könnte, wo Natur und Welt, Mensch und Eichelhäher eine Einheit waren. Die Nähe dieser Vereinigung macht den Augenblick kostbar.

„Der Häher wirft mir die Feder nicht zu". Der erste Vers des zweiten Gedichts versetzt, nüchtern und hart, in eine andere Situation. Der Kontakt ist abgebrochen. Der Häher ist ein anderer. Die schönen Wörter und Formeln, die ihn im ersten Gedicht erfaßt haben („streicht", „Rauschen der Vogelschwingen") sind ersetzt durch solche, die ihn häßlich („Schrei", „Brei") und brutal („hackt", „Schläge") werden lassen. Natur ist feindlich geworden, und sie verhöhnt den Menschen: Der Vogel wirft ihm die Feder in dem Augenblick, da sie nicht wahrgenommen werden kann, doch noch zu.

Daß Natur Feindseligkeit bedeutet und nicht mehr lockendes, manchmal irritierendes, aber meist tröstliches Geheimnis, ist die neue Erfahrung des Gedichtbandes ‚Botschaften des Regens'.

Der frühere Gedichtband, ‚Abgelegene Gehöfte', ist auf Grund einiger immer wieder nachgedruckten Gedichte (‚Inventur', ‚Camp 16', ‚Latrine' u. a.) zum exemplarischen Gedichtband der Nachkriegsjahre deklariert worden, noch 1968, bei der Neuauflage in der edition suhrkamp. Dabei ist mindestens ein Fünftel der Gedichte zwischen 1930 und 1934 entstanden und damals zum Teil veröffentlicht worden. Von den zwischen 1945 und 1947, meist in der Gefangenschaft geschriebenen Gedichten ist nur in vierzehn von siebzig die Erfahrung von Krieg und Gefangenschaft nachzuweisen. Trotzdem gilt der Band als exemplarisch für die Bewältigung dieser Themen.

Eich wollte ursprünglich die Gedichte in zwei Komplexe

aufteilen und angeben, daß der eine, mit der Überschrift ‚Jugendbildnis‘, in den dreißiger Jahren, der andere, mit der Überschrift ‚Gefangenschaft‘, 1945–47 geschriebene Gedichte enthalte. Er hat auf diese Angaben und die Trennung verzichtet. Zweifellos auf Grund der Erkenntnis, daß die alten und die neuen Gedichte nahtlos ineinander übergehen – vielleicht beunruhigend nahtlos. Die bevorzugte Form ist hier wie dort die romantische Volksliedstrophe mit vier Versen und dem Reimschema a b a b oder a b c b. In beiden Gruppen ist auch der ‚schöne Stil‘ in der Mehrzahl der Gedichte anzutreffen. Wenn es im ersten Gedicht der Sammlung (‚Abendliches Fuhrwerk‘, I 19) heißt: ,,Die ungefettete Nabe / kreischend Crescendo singt . . . / Die Kuppen von Fuchs und Schimmel / flocken in scharfen Schweiß‘‘, so sind bloß die Gegenstände, an denen der kalligraphische Stil exerziert wird, neu (Nabe, Schweiß). Auch die Vorliebe für die suggestiv drängenden Fragen ist in den Nach- und Vorkriegsgedichten gleich häufig, ebenso ist die Erfahrung des Verfalls, der Vergänglichkeit und der unaufhaltsam fliehenden Zeit in die Neuzeit hinübergerettet. ‚Sinziger Nacht‘ (I 36): ,,Vergänglichkeit, das / ist was ich glaub.‘‘ ‚Niederschönhausen‘ (I 21): ,,Oh Tag in alten Bäumen! / Jäh ist mir eingefallen, / wie wir die Zeit versäumen.‘‘ Im selben Gedicht ahnen ,,wir und die Blätter . . . / die Ewigkeit im Wind‘‘, und eben diese Ewigkeit ,,raunt‘‘ in ‚Die Spinnenkammer‘ (I 42) ,,die prophetische Spinne . . . ins Ohr.‘‘

Ein Wort wie Ewigkeit ist in seinem ebenso gewaltigen wie vagen Anspruch kennzeichnend für die Beharrlichkeit der Überlieferung in Thematik, Existenzgefühl und Vokabular der Gedichtsammlung. Die Grundstimmung ist Einverständnis, auch in Untergang und Verfall. ‚Blick nach Remagen‘ (I 34) läßt ,,am zerschossenen Gemäuer‘‘ den Wein wieder grünen und endet im Anblick der Lagerfeuer mit der Strophe: ,,Bleib die Flamme mir teuer, / bin ich aus ihr allein, / seis, mich verzehre das Feuer, / seis, es brenne mich rein.‘‘ Einverständnis, auch angesichts der vielen Gefallenen, in dem fragwürdigen Gedicht ‚Abends am Zaun‘ (I 39):

Am Abend duftet holder die Kamille
vom Feldrain her. Der Posten bläst ein Lied
auf seiner Okarina. Gottes Wille
im Glanz des Abendsternes sich vollzieht.
Wieviele sind doch nun für immer stille,
die gerne sich erfreut an Stern und Lied!
Nun sind sie selbst darin und Gottes Wille
in Glanz und Duft und solcher Abendstille
geschieht.

In einem solchen Gedicht ist das Vorbild Rilkes übermächtig, so
wie in andern die Romantik nachlebt, mit Mond und Lerche.
Diese ist jetzt der „Vogel der Gefangenen", aber noch immer
„jubiliert" ihr „einfach Lied hoch über ihren Häuptern" („An
die Lerche', I 37), und der Mond, „ein gelbes Floß der Liebe", ist
angesprochen mit den Versen: „Oh Schiff der Armen, nimm
mich an Bord, / mach mir wie ein Geheimnis wieder kund / in
deinem Lichte der Geliebten Mund!" („Fragment, dem Mond
gewidmet', I 38). Weit seltener, als es die Berühmtheit von
‚Inventur' vermuten ließe, wird wirklich der Besitz eines
Kriegsgefangenen inventarisiert. Dafür das abendländische
Erbe: das antike, fast euphorisch, in ‚Aurora' (I 23): „Ruhr oder
Wupper münden / in die Aegeis ein ... / In Kürbis und in Rüben
/ wächst Rom und Attica"; das germanische, wenn auch nur im
Traum, „flüchtig" und „ohne Gegenwart", in ‚Wacholder-
schlaf' (I 28): „Thor schwingt den Wolkenhammer / und Wotan
fährt zu Holz."

In solchen Grundströmungen erscheint die Sammlung ‚Abgelegene Gehöfte' als erstaunlich rückwärtsgewandt. Die Stunde
Null ist nicht nur nicht gelebt, sondern als solche systematisch
übersprungen oder überbrückt. Kahlschlag findet nicht statt,
eher zeigt sich ein passioniertes Bestreben, ihn nicht geschehen
zu lassen.

Bis zu diesem Punkt sind die Gedichte von Eichs erstem
Nachkriegsgedichtband zur Mehrzahl als Dokumente einer psychologischen Situation von Interesse. Sie sind Beispiel dafür,

wie der Schock über Zerstörung und Niederlage die alten Werte und Vokabeln wieder emporschwemmte und wie eine vorläufige Ratlosigkeit die Radikalität von Bruch und Absage scheut.

Mit diesen Feststellungen sind aber nur die Grundströmungen der Sammlung beschrieben. Die immer wieder zitierten sogenannten Kahlschlag-Gedichte sind nicht berücksichtigt. Sie bedeuten in der Tat ein Ausscheren aus der Tradition, ihre Sprache ist die Sprache derjenigen, denen es *die Sprache verschlagen* hat. „Dies ist meine Mütze, / dies ist mein Mantel, / hier mein Rasierzeug / im Beutel aus Leinen..." (‚Inventur‘, I 35) – wer so spricht, hat die Okarina (‚Abends am Zaun‘) nicht mehr bei sich. Allerdings noch: „Die Bleistiftmine, / die lieb ich am meisten: / Tags schreibt sie mir Verse, / die nachts ich erdacht." Diese zweitletzte Strophe fällt auf durch ein plötzlich aufflackerndes Engagement. Sie umschreibt den *eigentlichen* Besitz. Damit wird auch das sprachlich konsequent neuartige Gedicht ‚Inventur‘[23] ein Beleg dafür, daß sogar zum reduzierten Gepäck, mit dem deutsche Schriftsteller den Weg in die Nachkriegszeit antraten, noch Hinterlassenschaften jenes alten Bildungsbürgertums gehörten, das sich in der Katastrophe den Glauben an Verse erhält.

Trotzdem ist ein Gedicht wie ‚Inventur‘ wegweisend, für Eichs Lyrik und die deutsche Nachkriegslyrik überhaupt. Ebenso wie das kühn prosaische ‚Pfannkuchenrezept‘ (I 31) mit den Anfangsversen: „Die Trockenmilch der Firma Harrison Brothers, Chicago, / Das Eipulver von Walkers, Merrymaker & Co, Kingstown, Alabama, / das von der deutschen Campführung nicht unterschlagene Mehl..." Unmißverständlich, ungebrochen vermittelt ‚Lazarett‘ (I 24) das Grauen in der hastigen Kürze der Verse und Strophen und im abgehackten Rhythmus: „Nächtlich erwacht / seh ich am Nachbarbett / gebleck es Gebiß, / klappernd Skelett..." Am weitesten gehen die Gedichte ‚Camp 16‘ (I 33) und ‚Latrine‘ (I 36). In jenem „funkeln zu Häupten mir Sterne", „flüstert verworren der Rhein"; in diesem reimt „Urin" auf „Hölderlin", stehen „Blut", „stinkend", „Fliegen", der „versteinte Kot" neben dem Hölderlin-Vers: „Grüß mir die schöne Garonne."

In beiden Fällen ist mittels der Zitate die Absurdität, mittels der Reime die fürchterliche ,Ungereimtheit' der Situation gestaltet. Eichendorff, Hölderlin, Brentano und mit ihnen das ganze abendländische Kulturgut stehen in absurder Unvereinbarkeit mit den gegenwärtigen Erfahrungen, die unvereinbaren Pole verhöhnen einander, die Vorstellung Kultur, Verse, Kunst, Abendland macht die Wirklichkeit erst bewußt und verheißt keineswegs Trost und Halt in der Lager- oder Latrinensituation.

Der Gedichtband ,Abgelegene Gehöfte' wurde aber auf Trost und Halt hin interpretiert. Auch ein Gedicht wie ,Latrine' ist später als Zeugnis nicht des Untergangs von Kunst, Schönheit und Abendland, sondern ihrer Wiederauferstehung verstanden worden. Werner Webers Interpretation des Gedichts ist typisch für solche Harmonisierungstendenz: ,,Ein Gedicht mit einem widerlichen, vielleicht gar ekligen, vielleicht scheußlichen Motiv ist durch erfüllte Kunst zu einem moralischen – zu einem schönen Gedicht geworden."[24]

Bereits ein Jahr nach ,Abgelegene Gehöfte', 1949, erschien ein neuer, nur achtzehn Gedichte umfassender Lyrikband mit dem Titel ,Untergrundbahn'. Albrecht Zimmermann bezeichnet die damals und seither wenig beachtete Sammlung als ,,formale Wasserscheide".[25] Daß sie es ist, geht allein schon daraus hervor, daß die Gedichte einerseits ungefähr gleichzeitig entstanden sind wie die Nachkriegsgedichte von ,Abgelegene Gehöfte' und daß andererseits Eich mehrere von ihnen unverändert, andere als Neufassungen in den nächsten Gedichtband (,Botschaften des Regens', 1955) übernehmen konnte. Obschon in vielen Gedichten von ,Untergrundbahn' Natur wie bisher als mystifiziert oder mythologisiert erscheint, zeigt sich gerade in der Naturthematik entschieden Neues. Vor allem tritt die Natur vielfach in eine banale Umgebung. ,,Mond, ,,Weidengestrüpp", ,,Abendstern" stehen neben ,,Omnibus", ,,Staubfahne", ,,Fußballmannschaft" (,Ende August', I 76). Eichs poetischer Horizont ist überhaupt weiter geworden. Er erfaßt ansatzweise auch den Bereich des Sozialen.[26] ,,Die Zigarettenfrau sitzt in Reklamen, / in grellen Bildern und in grellen Namen. / Den welken Hals erblick ich durch die Scheibe ... / Im Grabgewölbe dieser Pyramide / dörrt, wie sie selber dörrt, / ihr Seelenfriede." (‚Die Zigarettenfrau', I 75) Die Stadt, die in einem einzigen Gedicht von ‚Abgelegene Gehöfte' vorkommt, ist hier zentrales Thema. Meist bleibt es allerdings nicht bei der naturalistischen Vermittlung. Sie schlägt um in Deutung und Kommentar. Aber der Blick auf die ‚Schuttablage' (I 77; unverändert in ‚Botschaften des Regens' übernommen) ist getan, auch wenn er sich am Ende in die religiös-verblasene Frage verliert: ,,Verlorene Seele, wen du auch verläßt, / wer fügt dich zusammen in Gnade?" Unverkennbar ist auch die zunehmende Kraft des Prosaischen. Was in ‚Abgelegene Gehöfte' Ansatz und Ausnahme war (in einer Minderzahl der Kriegs- und Gefangenschaftsgedichte), ist hier wirkliche Alternative. ,,Wir richten uns immer wieder auf das Glück ein, / aber es sitzt nicht gern auf unsern Sesseln. / Betrachtet die Fingerspitzen! Wenn sie sich schwarz färben, ist es zu spät." (‚Betrachtet die Fingerspitzen', I 71) Nüchternheit und Genauigkeit solcher Verse nehmen dem unüberhörbaren Aufruf, der aus ihnen tönt, Pathos und Aufdringlichkeit. Die Strophen sind vielfach kunstvoll durch den Verzicht auf jedes Wort, das die Situation nicht wiedergibt, sondern ausschmücken würde. ,,Die Sonne, wie sie mir zufällt, / kupfern und golden, / dem blinzelnden Schläfer, – / ich habe sie nicht verlangt." (‚Im Sonnenlicht', I 72) Die komplizierte Syntax und die Auflösung des Satzes bezwecken Unzugänglichkeit, verhindern den Eindruck des lyrischen Entgegenkommens und entsprechen damit genau der Aussage der Strophe, die eine unwillige Reaktion auf Anbiederungsversuche der Natur beschreibt.

‚Botschaften des Regens' (1955) stellt, wie der Vergleich der Häher-Gedichte zeigte, eine entscheidende Weiterentwicklung des Lyrikers Eich dar. Dies, obschon einzelne Gedichte der Sammlung bereits 1947 und viele um 1950 herum geschrieben worden sind. Die neue lyrische Form bildet sich also zum Teil ungefähr in der Zeit heran, als der Gedichtband ‚Abgelegene Gehöfte' erscheint. Das bestätigt die These (sie ist nicht nur an Eichs Werk zu belegen), daß es unmittelbar nach dem Krieg leichter war, auf die vertrauten Formen und Themen zurückzugreifen, und daß einige Zeit vergehen mußte, bis wiederum mit der Sprache experimentiert werden konnte.

Ein flüchtiger Blick auf das Titelverzeichnis von ‚Botschaften des Regens‘ zeigt, daß viele der Gedichte ihre Ausgangspunkte noch in der Naturthematik haben (Landschaft, Pflanzen, Tages- und Jahreszeiten). Aber sie ist jetzt ohne wuchtiges und ausmalendes Vokabular gestaltet. Und sie ist meist mit radikal anderer Thematik konfrontiert. Nebeneinander gibt es in ‚Herrenchiemsee‘ (I 83) die Verse: ,,Wie leicht erklärte sich alles / aus den Wirbeln des fallenden Eschenblatts‘‘ und: ,,Ludwig wollte nicht, daß man ihn essen sah.‘‘ Das Eingangsgedicht ‚Ende eines Sommers‘ (I 79) beginnt mit einem Vers der Naturverbundenheit und -bejahung: ,,Wer möchte leben ohne den Trost der Bäume!‘‘ Aber es fährt fort mit: ,,Wie gut, daß sie am Sterben teilhaben.‘‘ Natur ist Ausgangspunkt der paradoxen Erfahrung, daß der Trost, den sie bietet, Sterben heißt. Damit ist ihr Geheimnis keines mehr, sie ist entzaubert. In ‚Waldblöße‘ (I 80) folgt auf das Bild heimziehender Vogelschwärme unvermittelt, zusammenhanglos die Fes stellung: ,,Der Ring der Vogelwarte‘‘ – der Vers bildet eine selbständige Strophe, an die die Schlußstrophe des Gedichts anschließt: ,,Ein Fremder entdeckt ihn / am Fuß der Grasmücke. / Verwundert liest er die Botschaft.‘‘ Eine Botschaft der Vogelwarte ist keine, Natur ist ohne jedes Element des Rauschhaften, Geheimnisvollen, sie inventarisiert, katalogisiert. Auch in ‚Gegenwart‘ (I 80): ,,... geringes Laub an Pappelbäumen / und einberechnet von der Stadtverwaltung.‘‘ Verödung oder Sintflut künden eine Endzeit an: ,,Die Straßenbahn endet / in einer Steppe von Unkraut / vor abgegriffenen Türen‘‘ (‚Lemberg‘, I 89); ,,Als ich das Fenster öffnete, / schwammen die Fische ins Zimmer, / Heringe.‘‘ (‚Wo ich wohne‘; I 91) Die in ‚Tage mit Hähern‘ aufgezeigte Feindseligkeit und Perfidie der Natur ist bis in die Syntax gestaltet, in der der Mensch der Natur ausgeliefert erscheint: ,,Während mein Hauch sich noch müht, / das Ungeschiedne zu nennen, / hat mich das Wiesengrün übersetzt / und die Dämmerung denkt mich' (‚In anderen Sprachen', I 93) – Verse, die Handkes ‚Verkehrte Welt' (‚Die Innenwelt der Außenwelt der Innenwelt') vorwegnehmen. Der Mensch erfährt die Natur als Bedrohung: „Vögel, die um Futter kommen, / behalten dein Bild auf der Netzhaut. / Sie tragen es zu den Wölfen im Dickicht, / in die Bereitstellung der Springflut / und zum Sammelplatz der Haie ... / Die Auswege sind umstellt." (‚Belagerung', I 87) Das Gedicht endet in zynischer Tröstlichkeit: „Der den Angriff befiehlt, / ist um deine Rettung besorgt. / Die Wölfe verlieren morgens deine Spur im Schnee." Diese Verse, die das Gegenteil von dem sagen, was sie meinen, deuten an, daß der Verlust der Natur auch den Verlust Gottes bedeutet. Die Existenz der Natur garantierte bis dahin die Existenz Gottes. Jetzt, ‚Mittags um zwei' (I 94), „Wenn die Raupe buckelt / vom lähmenden Stich, ... / beim Schrei des sterbenden Maulwurfs", kann nur noch „der Pfarrer an der Sakristeitür" mit „seinen erblindenden Augen" „gelassen" an das Gerücht aus den Wäldern glauben, „die Tore des Paradieses würden geöffnet". Nur Blindheit kann verkennen, daß das Paradies angesichts der Grausamkeit der Natur als Illusion begriffen werden muß. Da kündet sich die Naturerfahrung der Maulwürfe an. „... güldne Heiterkeit, die davonfliegt", heißt es sarkastisch in ‚Der große Lübbe-See' (I 82), und die Paul-Gerhardt-Formel erscheint wieder in einem der bittersten der Maulwürfe aus der Sammlung ‚Ein Tibeter in meinem Büro': „Heiterkeit ergreift uns, güldene, bei dem Gedanken, daß die H-Bombe nicht fällt ..." (‚Feste', I 350) Derselbe Sarkasmus, schon im Titel des Gedichts ‚Es ist gesorgt' (I 92): „Es ist gesorgt, / daß die Armen nicht ohne Gebete einschlafen ... / Gebete, die um das bitten, was geschieht, / die tägliche Demütigung, / das Salz auf die Wunden." In der Schlußstrophe werden die einstigen Tröstungen und ihr Stil im Mörike-Ton (‚Anakreons Grab') parodiert und diffamiert: „Die Tröstungen sind versteckt: / Im Kehricht verfielfacht die Rose / abblätternd / ihren geträumten Duft."

In ‚Der Mann in der blauen Jacke' (I 95) gerät ein biblisch-friedliches Idyll – ein Bauer, der heimschreitet, „in den patriar-

chalischen Abend / mit Herdrauch, Kinderwäsche, Bescheidenheit" – im Schlußvers unversehens zur Vision der Blut- und
Bodenmystik: „seine Hacke, die er / geschultert hat, / gleicht in
der sinkenden Dämmerung / einem Gewehr". Und das bezau-
bernde Bild der zarten ‚Königin Hortense' (I 99) schlägt um, in
eine Assoziationskette von böser Logik: „Es klirrt / von Ge-
schmeide, von Ketten, / von Schaufeln, von Schwertern. / Es
schreit."

In den beiden zuletzt zitierten Gedichten ist geschichtliche und
politische Realität eingefangen, es geht unter anderem (im
zweiten) um die Mächtigen und ihre Opfer. Aber gerade daß
dies nur ansatzweise der Fall ist, daß im Zentrum der Thematik
der ‚Botschaften des Regens' die (zwar neu erfahrene und for-
mulierte) Auseinandersetzung mit der Natur steht, weist diesen
Gedichtband eher ans Ende als an den Anfang einer Entwicklung. Nicht nur an Versen und Formeln, die wirklich zurück-
weisen („Schilf der Verzweiflung", „Baumgruppen des Zwei-
fels", „die geschwungenen Wege der Zuversicht"), nicht nur an
der dominierenden Funktion von Metapher und Vergleich läßt
sich dies zeigen. Sondern auch dort, wo sprachlich unverkennbar neue Bereiche der Sachlichkeit erschlossen sind, in einem so
schönen Gedicht wie ‚Briefstelle' (I 97):

> Keins von den Büchern werde ich lesen.

> Ich erinnere mich,
> an die strohumflochtenen Stämme,
> an die ungebrannten Ziegel in den Regalen.
> Der Schmerz bleibt und die Bilder gehen.

> Mein Alter will ich in der grünen Dämmerung
> des Weins verbringen,
> ohne Gespräch. Die Zinnteller knistern.

> Beug dich über den Tisch! Im Schatten
> vergilbt die Karte von Portugal.

Das Gedicht ist bemerkenswert nüchtern und unaufwendig. Und es enthält bereits die für den späten Eich charakteristische Geste des Abweisens, Sichverschließens. Aber die Geste ist voller Grazie und Würde, Interieur und Sprache des Gedichts decken sich in dieser Hinsicht. In den Gedichten der sechziger Jahre wird das Abwinken bissiger, kaltschnäuzig. So wie in einzelnen Versen von ‚Botschaften des Regens‘: ,,Wir alle wissen, / daß Mexiko ein erfundenes Land ist.‘‘ (‚Einsicht‘, I 97) Ein solcher Vers könnte in einem der späteren Gedichtbände stehen, weil er ganz unverhüllt, ungraziös der Diskussion ein Ende setzt. Eichs spätere Leser werden dauernd vors fait accompli gestellt. Das ist, samt der radikalen, nackten Sprache, die es bedingt, in den ‚Botschaften des Regens‘ selten. Deshalb ist die Zäsur, die dieser Gedichtband darstellt, zwar bedeutend, aber nicht zu vergleichen mit derjenigen zum nächsten, ‚Zu den Akten‘, von 1964. Er wird eher unter dem Gesichtspunkt des Bruchs als der Entwicklung zu betrachten sein.

5. Die klassischen Hörspiele

Für die Zeit zwischen 1948 und 1958 sind in Schwitzkes Verzeichnis von Eichs Funkarbeiten (III 1408) etwa fünfzig Hörspiele, Hörspielserien, Kurzhörspiele, Kinder- und Schulfunkhörspiele, Fragmente, Bearbeitungen und Hörspielfassungen nachgewiesen. Die Ausgabe der Gesammelten Werke bringt davon dreiunddreißig (‚Der Tiger Jussuf‘ und ‚Die Mädchen von Viterbo‘, die zu Recht in beiden Fassungen abgedruckt sind, nur je einmal gezählt.) Das macht etwa elfhundert Seiten Funkarbeit in einer Periode von zehn Jahren. Auch wenn in diesem Komplex vieles Auftragsarbeit und ‚Gebrauchsware‘ ist, steht das Gewicht, das die Hörspiele innerhalb Eichs Werk haben, außer Diskussion. Die Hörspiele dieser Zeit umfassen den Teil von Eichs Werk, von dem einerseits der Autor selbst am entschiedensten abgerückt ist, das ihm andererseits lange höchstes Lob und dann auf einmal scharfe Kritik eingetragen hat. Eine Einteilung der dreiunddreißig Hörspiele (darunter zwei Fragmente und sechs Kurzhörspiele) ergibt drei Gruppen: 19 ,Zeitstücke' – das sind Hörspiele, die in der Gegenwart spielen (einschließlich Kriegs- und Nachkriegszeit); 5 ,historische' Stücke – die Personen sind in einer früheren Zeit angesiedelt, sind z. T. historisch; 9 Märchen- oder Legendenhörspiele mit Figuren aus (meist orientalischen) Märchen oder der christlichen Legende.

Obwohl eine solche Einteilung behelfsmäßig ist und mehr verdeckt als verrät (zum Beispiel die häufige Vermischung der Gruppen), ist sie deshalb nicht unerheblich, weil sie ein möglicherweise unerwartetes Resultat zeitigt. Eichs Hörspielschaffen ist sehr häufig in Formeln wie Traumspiel, Parabel- und Märchenspiel erfaßt worden. Das hat in den letzten Jahren den Vorwurf der Innerlichkeit gestützt. Die Tatsache, daß weit über die Hälfte von Eichs Hörspielen in der Gegenwart angesiedelt ist, läßt den Vorwurf fragwürdig werden.

Die Thematik der Hörspiele ist von Anfang an resolut gegenwartsbezogen. Eines der ersten, ,Die gekaufte Prüfung' von 1950, behandelt die ein Jahr zurückliegende Zeit der Währungsreform. Sie wird im Vorspruch als ,,eine der heutigen irgendwie geradezu entgegengesetzte Zeit'' bezeichnet, weil es damals galt, ,,über sich selbst zu Gericht zu sitzen''. In Zeiten, wo es einem gut gehe, sei eine solche Situation selten, und deshalb seien die ,,Entscheidungen, die wir zu fällen haben, für den, der entscheidet, unverbindlicher, ja beliebiger''. (II 209) Die Erfahrung, wie rasch die Zeiten sich in ihr Gegenteil verändern, und das Ringen um verbindliche Entscheidungen: Das sind Motive aus vielen der späteren Hörspiele Eichs. An ,Die gekaufte Prüfung' ist eines von besonderem Interesse: daß Eich es ohne Schluß senden lassen wollte. Die Dramaturgie setzte durch, daß wenigstens drei Schlüsse zur Auswahl vorgelegt wurden, unter denen die Hörer dann wählen sollten. Fünftausend haben anläßlich der Erstsendung des Hörspiels auf diese Aufforderung reagiert. Das wirft ein schlagartiges Licht auf die damaligen Möglichkeiten des Rundfunks. Und Eichs Vorschlag, das Stück ohne Schluß zu senden, charakterisiert früh seine Intentionen als Hörspielautor.

Seine Hörspiele versetzen den Hörer in die Entscheidungssituation. Eich wird zwar fortan die Modelle einer Entscheidung (den ‚Schluß') vorlegen. Aber immer erst, nachdem mit soviel Nachdruck die Frage nach der Richtigkeit der Entscheidung gestellt worden ist, daß die Frage über das Stückende hinaus wirksam bleibt. Auch sind die Entscheidungen, die Eich vorschlägt, die denkbar kompliziertesten und ungewöhnlichsten. Darin liegt Provokation, Aufforderung zu Widerspruch, zu besserer Argumentation.

1950 wird das Märchenspiel ‚Geh nicht nach El Kuwehd' gesendet, die Geschichte eines Kaufmanns, der mit reichen Schätzen auf der Heimreise nach Damaskus ist, wo er heiraten will. Vor El Kuwehd warnt ihn ein Bettler, den Ort zu betreten. Er tut es dennoch, wird ausgeraubt, als Sklave verkauft, erlebt Liebe, Treue, Verrat und wird am Ende hingerichtet – im Traum. Es stellt sich heraus, daß er in El Kuwehd eingeschlafen ist und alles nur geträumt hat. Noch im Traum hatte er überlegt, wo er die falsche Entscheidung getroffen habe und dem geträumten Leben eine andere Wendung hätte geben können: ,,Der Bettler sagte: Geh nicht nach El Kuwehd! Aber er hatte eigentlich unrecht. Ich konnte ruhig dorthin gehen. Falsch war nur, daß ich der Magd folgte, die mich zur Herrin rief . . . Oh . . . könnte ich den Augenblick noch einmal haben, ich täte es anders." (II 285) Kaum ist er erwacht, kommt eine alte Magd, die ihn zu ihrer Herrin ruft. Mohallab folgt ihr. Er ist bereit, die schwierige Existenz des Traumes, in der er um alles gebracht wird, zu verwirklichen. Die Erkenn nisse, die der Traum gebracht hat, sind zu wesentlich, als daß sie ausgelassen werden dürfen: ,,Die Gesunden durchschauen die Welt nicht." (II 250) ,,Ich will wissen, in wessen Leben ich gehöre . . . In El Kuwehd begriff ich, daß ich zu sicher war." (II 253/4) ,,Manche meinen, der Tod sei ein Augenblick. Dabei dauert er manchmal ein ganzes Leben lang." (II 285) Alle diese Zitate formulieren Motive, die in Eichs Hörspielen bis 1958 in der Folge leitmotivisch wiederkehren.

Vor allem aber gestaltet Eich in ,,Geh nicht nach El Kuwehd" bereits das, was als Grundmotiv der klassischen Hörspiele bezeichnet werden kann: die Verunsicherung, Verstörung, das Aus-der-Bahn-geworfen-werden. „Zu sicher" war Mohallab. Fast alle Hörspiele Eichs gestalten Augenblicke, wo solche Sicherheit zerschlagen wird und sich neue, meist erschreckende Perspektiven auftun.

Auch die ‚Träume' handeln davon. Die Erstsendung dieses Hörspiels (ebenfalls 1950) wird als „die Geburtsstunde des Hörspiels" bezeichnet. Heinz Schwitzke hat nachdrücklich darauf hingewiesen, wie die Formel zu verstehen sei: nicht historisch (die Geschichte des Hörspiels beginnt fünfundzwanzig Jahre früher). Aber „seit der Sendung dieses Stücks begann das Wichtigste wieder: der Dialog mit einer inzwischen selbstbewußt gewordenen Hörerschaft ..."[27] „Geboren wurde" nicht das Hörspiel, sondern „die Herausforderung des Hörers durch das Hörspiel". Daß sie als solche verstanden wurde, beweist das Echo: Tausende von Hörerbriefen und -anrufen. Die meisten formulierten Protest und Empörung. Das beweist die damalige Notwendigkeit dieses Hörspiels. Die protestierenden Hörer hatten offensichtlich begriffen, daß hier einer, fünf Jahre nach Kriegsende, wieder Katastrophenvisionen vermittelte; daß einer in dem Augenblick, wo alles sich wieder einzurenken und einzupendeln begann, sich dieser Tendenz widersetzte; daß jemand, kaum war man daran, Dachau und Stalingrad zu vergessen, einem die Namen Korea und Bikini entgegenschrie; daß jetzt, wo man sich aufs Vergessen einrichtete, neue Kollektivschuld konstruiert wurde: „Denke daran, daß du schuld bist an allem Entsetzlichen, / das sich fern von dir abspielt" (II 296); daß einer Mißtrauen und Widerstand propagierte, wo eine allgemeine gesellschaftliche Harmonie die Erinnerung an die Katastrophe überwinden helfen sollte; daß einer in der nach zwanzig Jahren Diktatur aufatmend begrüßten Demokratie bereits wieder „die Ordner der Welt geschäftig" am Werk sah (II 322) und sich bemüßigt fühlte, Zwietracht zwischen Volk und Politikern zu säen: „Seid mißtrauisch gegen ihre Macht, die sie vorgeben für euch erwerben zu müssen! ... Seid unbequem, seid Sand, nicht

das Öl im Getriebe der Welt!" (II 322) Die eben zitierten Schlußverse (der letzte zum geflügelten Wort geworden) wurden erst
1953, für die Buchausgabe der ‚Träume‘, beigefügt, aber die
ungemütliche Botschaft muß auch ohne sie verstanden worden
sein.

In den schon zitierten Arbeiten[27] distanziert sich Schwitzke
von der „plakativen Schreckwirkung" der ‚Träume‘. Das Pla-
kative ist aber ein Beleg, wie medien- und zeitbewußt Eich 1950
schrieb, und es verschafft den ‚Träumen‘ Interesse auch fünfundzwanzig Jahre nach ihrer Entstehung. Denn es ist heute als
eine legitime Ausdrucksform in die Literatur integriert. Gerade
der von Schwitzke getadelte zweite Traum (ein chinesisches
Elternpaar verkauft seinen Sohn einem reichen Mann, der vom
Blut von Kindern lebt) ist ein exemplarisches Stück des ‚grausa-
men Theaters‘. „... nichtssagend, bloß gräßlich, ohne
Gleichnischarakter ..." – Schwitzkes Qualifikationen sind richtig, aber eine solche Darstellungsweise kann notwendig sein.
Der zweite Traum gestaltet kein *Gleichnis* der Brutalität und des
Grauens, er demonstriert sie als *Faktum*. In der entsprechenden
Sprache: lapidar, hart, desillusionierend. Ein Beispiel der Dialog, womit der Traum endet. Der verkaufte Knabe Tschang-du
ist vom reichen Mann in die Küche geschickt worden, wo es eine
Eisenbahn zum Spielen gebe: „*Herr:* Verdammt lange dauert
das. *(Tschang-dus Schreien in der Küche, das während des Folgenden
verstummt.) Herr (zornig):* Da! Hörst du! Sie hat ihn nicht richtig
betäubt. Und ich muß mir das anhören. *Dame:* Nun beruhige
dich, es ist schon still. *(Die Tür wird geöffnet. Schritte nähern sich.)*
Siehst du, da ist die Schüssel mit Blut, es dampft noch. Das wird
dir guttun." (II 301) Eine heutige Inszenierung müßte die
‚Träume‘ vielleicht gerade vom zweiten Traum her verstehen.
Das ergäbe eine Inszenierung ohne Poesie und Magie. Sie sollte
überdies auskommen ohne die Zwischen- und Rahmengedich-
te, deren beschwörende Eindringlichkeit eher besänftigt und
deren Zitierbarkeit sie in der Zwischenzeit teilweise verdächtig
werden ließ – niemandem mehr als Eich selber.

‚Sabeth‘ (1951) ist die Geschichte eines Riesenraben, der auf einem abgelegenen Bauernhof mit den Bauersleuten lebt und bei ihnen sprechen gelernt hat. Bereitwillig versucht er, den beiden Lehrern des Dorfes, die den Fall wissenschaftlich auswerten wollen, Auskunft zu geben über Rabenherkunft und -existenz. Aber mit seinem Verschwinden verschwinden auf rätselhafte Weise auch alle Beweise seiner Existenz (Photographien, Federn). ,Sabeth' ist eines von Eichs anspruchsvollsten, gedankenreichsten Hörspielen. Es formuliert eine Reihe der eigentlichen Eich-Fragen: die nach dem Verhältnis von Augenblick und Ewigkeit, die Frage nach der Zeit überhaupt; die nach den Elementen des Menschseins (,,suchen", Angst", ,,Sterben"); die Frage nach Welt und Gegenwelt; nach den Dimensionen jenseits der in Erfahrungen faßbaren und in Sprache wiederzugebenden Wirklichkeit. Trotz der Intensität und Gültigkeit der Fragestellung ist ,Sabeth', verglichen mit den ,Träumen', ein rückwärtsgewandtes Stück. Der Rabe ist ein Teil des Mysteriums Natur, sein Auftauchen auf einem abgelegenen Bauernhof weist darauf hin, daß Eich sich mit diesem Stück teilweise in der Thematik des Gedichtbandes ,Abgelegene Gehöfte' aufhält.

Ein Jahr später, in ,Der Tiger Jussuf', ist dies wieder nicht mehr der Fall, obwohl das Hörspiel auf den ersten Blick mit ,Sabeth' zu vergleichen ist. Ein Tiger frißt seinen Dompteur. Er bricht aus und nimmt die Gestalten verschiedener Menschen an, denen er begegnet und die er, solange er Mensch ist, in Tiger verwandelt. Das Hörspiel stellt die Frage nach der Identität (Jussufs erste Sätze: ,,Ich möchte mich vorstellen, Hörer, aber wer bin ich?" II 577), nach dem, was an ihr beständig und was aufhebbar ist. Wie in ,Sabeth' macht ein Tier die deprimierenden Erfahrungen des Menschseins. Aber der alte, abgebrauchte Zirkustiger mit seinem dauernden Zahnweh hat als Figur nichts gemein mit dem erhabenen, geheimnisvollen Raben Sabeth. Und das Hörspiel führt in ganz andere Existenzbereiche. In einer Reihe von Kurzszenen erscheint ein Panoptikum der zeitgenössischen Welt, der Tiger deckt in seinen Verwandlungen die bürgerliche Fassade von Wohlanständigkeit und äußerer Form ab und erblickt dahinter Heuchelei, Habgier, Phrasenhaftigkeit und falsche Ideale. Das Märchenspiel ist (wie z. B. Robert Walsers Märchendramolette) exakte Zeitkritik.

Dieselben formalen Prinzipien und ähnliche Intentionen der Gesellschaftskritik finden sich auch in dem im selben Jahr wie ‚Sabeth‘ (1950) geschriebenen Hörspiel ‚Fis mit Obertönen‘. In ganz England ist auf einmal über Wochen hin ein Ton zu hören, dessen Herkunft nicht erklärt werden kann, der die Menschen in Panik versetzt und zugleich in die Situation der Wahrheit über ihre Beziehungen zueinander. Die allgemeine Angst läßt die Gesellschaftslüge als Dominante des menschlichen (privaten und politischen) Zusammenlebens hervorbrechen.

Ein drittes Mal findet sich die Methode, eine Gesellschaft an möglichst verschiedenen Stellen zu durchleuchten, in dem 1955 gemeinsam mit Ilse Aichinger zusammen verfaßten Hörspiel ‚Der letzte Tag‘. Es zeigt die Bevölkerung Lissabons in den vierundzwanzig Stunden vor dem großen Erdbeben. Ihre Existenz und die vielfältigen Sorgen (sie reichen von der Ernährung von sieben Kindern bis zu einem quietschenden Gartentor) werden absurd angesichts des Todes, von dem aber nur die Hörer wissen. Die Absurdität wird durch die Rahmenhandlung noch gesteigert: Ein zum Tode verurteilter Priester, der am Tag des Erdbebens hingerichtet werden sollte, wird begnadigt und soll um zehn Uhr wieder die Messe lesen. Genau um zehn Uhr beginnt das Erdbeben, und einen Augenblick vorher bricht das Hörspiel ab und konfrontiert scharf die Unwissenheit der Personen und das Wissen der Hörer.

In der Mehrzahl der Hörspiele der fünfziger Jahre zieht Eich, anders als in ‚Fis mit Obertönen‘ und ‚Der letzte Tag‘, bei der Darstellung von Schauplätzen und Existenzen geschlossenere Formen vor. Mit Vorliebe stellt er zwei scharf abgegrenzte Lebensbereiche und Existenzformen einander gegenüber. Am wirkungsvollsten wohl in ‚Die Andere und ich‘ (1951). Die Amerikanerin Ellen Harland, mit Mann und Kindern auf einer Autofahrt an einen Adriastrand, erblickt im Vorbeifahren in dem elenden Fischernest Comacchio, auf der andern Seite der Brücke, eine alte Frau: ,,Für einen Augenblick war mir, als schaute sie mich an und als wäre über die Entfernung hinweg ihr Blick ganz nahe." (II 404/5) Später, beim Baden: „... fiel mir plötzlich die alte Frau ein ... Ich hätte mit ihr sprechen müssen, dachte ich ... Aber das ließ sich nachholen." (II 505) Sie geht zurück nach Comacchio, und als sie in ein Haus tritt, wird sie dort als Tochter Camilla empfangen. Ellen lebt nun das Leben Camillas, zuerst widerstrebend und entsetzt, aber bald ist es ihr selbstverständlich wie ihr eigenes, dessen sie sich bewußt bleibt und aus dem heraus sie zunächst dasjenige Camillas kommentiert, bis sie allmählich die Ellen-Existenz fast vergißt. Zweimal kommen sich die beiden Existenzen ganz nahe: wenn Ellen als Camilla den Augenblick der Geburt Ellens in Cleveland reflektiert und wenn Ellen als alt gewordene Camilla den Augenblick erzählt, wo die Amerikanerin Ellen Harland mit ihrer Familie auf der andern Seite der Brücke vorbeifährt: „Ellen Harland fuhr dort vorüber, – ich hatte sie vergessen. In diesem Augenblick aber kam alles wieder. Ich selber war es ja, und mein Leben war es, das vorüberfuhr. Das Auto bog in die Kurve, ich machte einige Schritte, es war mir, als müßte ich fliegen können, als hinge noch einmal alles davon ab, sie zu erreichen. Ich fiel und fühlte das Wasser um mich steigen, es drang mir in Mund, Nase und Ohren und betäubte mich." (II 535) Daran schließt eine Szene am Badestrand an. Ellens Mann und ihr Sohn legen sie auf den Sand, sie erwacht aus einer Ohnmacht mit der Frage: „Wer seid ihr?" (II 535) Jetzt erst wird klar, daß Ellen beinahe ertrunken ist. Sie hat es zwar bereits vorher erzählt, am Anfang des Hörspiels. Aber der Augenblick des Ertrinkens ist von Eich dann so souverän und leicht als selbstverständliches Weggehen gestaltet, daß der Gedanke, Ellen erlebe das lange Leben der Camilla in eben diesem Augenblick, nicht aufkommt. Das ist ein Beispiel, wie listig und anspruchsvoll Eich die Möglichkeit des Hörspiels zu nutzen weiß, Raum und Zeit aufzuheben und die Realität auszuweiten.

Am andern Tag geht Ellen wirklich nach Comacchio. Die in einen Augenblick konzentrierte Camilla-Existenz erweist sich als genau gelebt: Ellen kennt das Haus, das sie betritt, sie kennt die Frau – ‚ihre' Tochter Filomena –, die ihr Antwort gibt auf die Frage, wo Camilla sei: „*Filomena:* In der Kammer, wenn Sie hineingehen möchten. *Ellen:* Danke. *Filomena:* Sie hätten vielleicht früher kommen sollen. *Ellen seufzend:* Oh ja." Und daran anschließend die Schlußsätze des Hörspiels: „*Ellen:* Ich öffnete die Kammertür. Im Luftzug flackerten zwei Kerzen, die zu Füßen von Camilla brannten. Ich ging hinein und machte die Tür hinter mir zu. Wir waren allein." (II 537)

Der Schluß des Hörspiels verweist die Fragen, die es stellt, an Ellen und den Hörer zugleich. Vor allem die Frage nach der Zufälligkeit der menschlichen Existenz, genauer: die Frage, wo in der Problematik des einen und der Problemlosigkeit des andern Schicksals Logik und Sinn liege. Eichs Fragestellung ist gewiß eine allgemeine. Aber sie ist erarbeitet an einem konkreten Fall mit unmißverständlich sozialer Komponente. Der Einzelfall des Sozialen ist relevant für die allgemeine existenzielle Fragestellung. Schon zu Beginn des Hörspiels gibt es eine bezeichnende Landschaft: ein Platz, wo der Lagune Land abgewonnen werden soll und wo deshalb Bagger stehen. Aber Ellen hat „das trübselige Gefühl, als habe man einen mutig begonnenen Plan als undurchführbar erkannt und wieder aufgegeben". (II 503) Und als sie durch Comacchio fahren, sagt Ellen: „Sie leben in dieser Pest, ... und wir schauen zu." (II 504) Auf der einen Seite die Existenz Camillas: Heirat eines ungeliebten älteren Mannes, Leidenschaft für einen jüngeren und die Enttäuschung, nachdem sie diesen geheiratet hat, Mord, Alkohol, Kinder, Verlust der Kinder, Armut, Arbeit bis ins hohe Alter. Auf der andern Seite das Touristenleben Ellens (Touristin ist sie nicht nur in Europa), problemlos, in Kultur und Zivilisation oberflächlich geborgen. Eichs Hörspiel enthält kein Rezept, wie die Existenzen auszugleichen wären. Es stellt sie bloß nebeneinander. Unerbittlich symmetrisch und damit so hart, daß sie einander in Frage stellen müssen. Ellens Existenz diejenige Camillas nur schwach und vorübergehend: wenn Camilla davon spricht, nach Amerika auszuwandern. Hingegen verunsichert Camillas Existenz diejenige Ellens definitiv. Sie erkennt sie als den dauernden Lebenskampf, der nur zufällig und ohne Sinn nicht der ihre geworden ist.

In ‚Zinngeschrei' (1955) stellt Eich noch einmal die Sozialproblematik zentral und direkt zur Diskussion. Aber so scharf darin die Frage nach der Ausbeutung formuliert ist (gleich im ersten Satz: ,,Wieviel Indios hat diese Rosenhecke gekostet?" III 809), so verdienstvoll es jede Schwarz-Weiß-Malerei vermeidet und die Argumentation für oder gegen Kapitalismus und Revolution kompliziert – das Hörspiel offenbart eine Schwäche, die auch andern Eich-Hörspielen mit sozialkritischem Einschlag anhaftet: Dadurch daß am Ende die Rollen einfach vertauscht sind (der Millionärssohn gibt alles auf und wird Kellner, der revolutionäre Journalist, der als Kellner arbeitete und die Wandlung des jungen Millionärs in Gang setzte, macht Karriere im Dienst von dessen Vater), erscheinen Ausbeuter und Revolutionäre gleichermaßen ins Unrecht versetzt, und in dem Maße, wie alle Unrecht haben, könnten leicht alle Recht haben.

Ein ähnliches Unbehagen ist angebracht gegenüber dem allerdings nicht sozialkritischen Hörspiel ‚Allah hat hundert Namen' (1957). Der Großkapitalist Hakim ist auf der Suche nach dem hundertsten Namen Allahs. Erst nachdem er verarmt, knapp dem Tode entronnen ist und als Hausmeister an der ägyptischen Botschaft in Damaskus Treppen putzt, erkennt er, ,,daß man übersetzen muß, wenn das Original fehlt". (III 1036) Seine Übersetzungsvorschläge für den hundertsten Namen: ein Kalbsbraten, eine Liebesnacht im Bordell, ein paar vollkommene Schuhe, der Glanz der Treppe, die er zu putzen hat. Dieses Ende, wonach den einen Armut und Erkenntnis, den andern Reichtum und Macht bestimmt seien, erweckt leicht den Eindruck, es sei damit beiden geholfen. Hakims Einverständnis ist zu bequem für die, welche davon profitieren.

In andern Stücken wird das Einverständnis als eine über alle Maßen schwierige und paradoxe Aufgabe dargestellt. In ‚Die Mädchen aus Viterbo' (1952), ‚Das Jahr Lazertis' (1953), ‚Die Brandung von Setúbal' (1957).

In ‚Die Mädchen aus Viterbo' heißt die zu bestehende Aufgabe Tod. Ein jüdisches Mädchen und sein Großvater sind während des Krieges drei Jahre lang in einer Berliner Wohnung versteckt. Die beiden erzählen einander die Geschichte der Mädchen aus Viterbo, die auf einem Schulausflug sich mit ihrem Lehrer in den römischen Katakomben verirrten. Gabriele erzählt zuerst die Rettung: Liebende finden nach Tagen den Weg zu den Eingeschlossenen, den Polizei und Feuerwehr nicht gefunden haben. Darauf der Großvater: ,,Wer eine Geschichte erzählt, darf kein Taschenspieler sein. Nein, so ist deine Geschichte falsch." (II 659) Gabriele setzt neu an, läßt diesmal ihre Erzählung mit der Gleichgültigkeit der eingeschlossenen Mädchen enden. Erst als die Stiefel auf der Treppe hörbar sind, findet Gabriele auf die dringende Aufforderung des Großvaters hin die richtige Version der Geschichte, findet Antonia, Gabrieles *alter ego* in den Katakomben, den Mut, die Rettung im üblichen Sinn durch eine glaubwürdigere zu ersetzen. Sie vermag den Beginn des Sterbens als Beginn des Lebens zu begreifen: ,,... als liefe alles in meinem Leben ... auf diesen Augenblick zu, wo ich mit allem einverstanden bin ... Ich glaube, man kann erst beten, wenn man nichts mehr von Gott will. Ja, Gott, ja, ja, ja." (II 670) Im Augenblick, wo die Geschichte der Mädchen in den Katakomben so zu Ende erzählt ist, wird die Tür der Wohnung in Berlin aufgerissen, Gabriele und ihr Großvater werden von den Nazischergen abgeholt. Was in den Katakomben das Nichtgefundenwerden bedeutete, meint hier das Gefundenwerden. Diese gleichzeitig analoge (Eingeschlossensein) und absolut kontrapunktorische (gefunden – nicht gefunden werden) Situation ergibt die Form des Hörspiels, die in ihrer strengen Symmetrie (Abwechseln der Szenen in Berlin und den Katakomben) so erschreckend ist wie die Logik, die es vertritt: daß der Tod das Leben beweist, daß Rettungslosigkeit Rettung heißt.

Auch die alte Hofdame Camilla in ,Die Brandung von Setúbal' gelangt zu dieser Art Erkenntnis und Einverständnis. Im Augenblick, wo sie selbst die Pest hat, weiß sie, daß es diese gibt, daß der Geliebte wirklich daran gestorben ist. Und wenn dessen Tod wahr ist, so ist auch seine Liebe wahr gewesen. Der Tod beweist erneut das Leben, er ist der Schlüssel zu allem. „Die eigentliche Antwort ist immer der Tod" (IV 299), notiert sich Eich 1956. Catarina ist aus der Bahn der Gewißheit geworfen worden, um ihrer Gewißheit eine bessere Grundlage zu verschaffen.

Paul, ein unbegabter Maler („Das Jahr Lazertis', 1953), wird an einem Neujahrsmorgen aufgeschreckt durch ein Wort, das Vorübergehende aussprechen und das er nur halb versteht. Die lange Suche nach diesem Wort führt ihn schließlich in eine brasilianische Leprastation mit dem Namen Certosa. Dort bleibt er, auch als sich herausstellt, daß er gesund ist und zu Unrecht eingewiesen wurde. „Gewiß sie (sc. die Leprakranken) konnten alle auch ohne mich sterben, aber ich konnte nicht ohne sie leben." (II 711)

Weil es gegen Anfechtung, auf Umwegen durchgesetzt und fast wissenschaftlich von den Erfahrungen abgeleitet ist, braucht das Einverständnis Pauls, Catarinas und Gabrieles nicht diskreditiert zu werden. Dennoch ist in den beiden letzten Hörspielen, die in diesem Kapitel noch zu diskutieren sind, keine Rede mehr davon. ‚Philidors Verteidigung' und ‚Festianus Märtyrer' (beide 1958) gestalten vielmehr das Nicht-Einverstandensein bis zuletzt, die Weigerung, die Aufsäßigkeit. „Ich will nicht mehr" (III 1100), sagt in ‚Philidors Verteidigung' der achtzehnjährige Gymnasiast Alexander, Eichs ungewöhnlichste Hörspielfigur überhaupt. Er hat im Verfolgungs- und Größenwahn einen ihm unbekannten jungen Mann als angebliches Mitglied einer gegen ihn gerichteten weltweiten Verschwörung umgebracht, will aber nicht, daß man ihn als Irren behandelt und der Strafe entzieht. Sein „einsamstes Unternehmen überhaupt" (III 1085) entspringt einer genauen Einsicht in die Welt: „Geschichte, Kultur, Zahnkremfabrikation und Bevölkerungspolitik, – das alles brauchte nicht weiter gespielt zu werden ..." (III 1087) In seinen Sätzen kündigt sich Eichs eigener Pessimismus an. Sie sind einem Wahnsinnigen, total Einsamen in den Mund gelegt, an dem Familie, Richter, Psychiater gleichermaßen versagen. Eich legt die richtigen Sätze über die Welt künftig den Außenseitern in den Mund. Er verbietet, sie deshalb als irrelevant anzusehen, und er verbietet auch die simple Gebärde des Mitleides, auf die Alexanders Umgebung sich zurückzieht.

Eine andere Form des Außenseitertums verkörpert der etwas mickerige, zweitklassige Heilige und Märtyrer Festianus. Ihm, einem Ritter von der traurigen Gestalt, sind schwere Zweifel auferlegt. Festianus, selber im Paradies, zweifelt an der Gerechtigkeit jener höchsten Entscheidung, die so viele seiner geringen Bekannten vom Paradies ausgeschlossen hat. Er geht als erster und einziger in die Hölle, um sich nach seinen ehemaligen Freunden zu erkundigen. Er findet dort: eine verwaltete Welt, durchorganisiert, einen Polizeistaat; Dantes folkloristische Hölle ist ersetzt durch eine automatisierte Foltermaschinerie. ,,*Belial:* Die Heeresdienstvorschriften, die Akten der Inquisition, die Dokumente aus Konzentrations- und Arbeitslagern haben uns ganz neue Impulse gegeben." (III 1119) Obwohl er den Verdammten nicht helfen kann (,,Die ich wärme, ohne sie zu wärmen", III 1134), bleibt er in der Hölle und schickt den heiligen Laurentius, der ihn wieder ins Paradies holen soll, allein zurück ,,in die Herrlichkeit, die keiner Liebe bedarf". (III 1134) Seine Entscheidung ist wie diejenige des Sisyphus absurd und einsichtig zugleich. Dadurch daß die Hölle ihn aufnimmt und der Folter aussetzt, gelangt er zu seinem größten Triumph. Die Heiligen hatten die Ewigkeit des Paradieses als Glaubensgrundsatz. Entsprechend ist derjenige des Teufels die Ewigkeit der Hölle. (,,Die Dauer, der gefrorene Augenblick, das Endgültige", III 1138) Daß er vom Heiligen zum Verdammten werden konnte, beweist dem Festianus, daß das Paradies nicht ewig ist, und wenn es das Paradies nicht ist, kann es die Hölle auch nicht sein.

Mit dem ,Festianus' hat Eich unzweifelhaft nochmals ein Meisterwerk des klassischen Hörspiels geschrieben. Aber das Jahr, in dem es entsteht, markiert ebenso unzweifelhaft eine entscheidende Hörspiel-Krise im Schaffen Eichs. Er beginnt Marionettenspiele zu schreiben, versucht sich an einem Theaterstück (,Alte Regensburger'). Das neue Hörspiel ,Philidors Verteidigung', das in den Rundfunkprogrammen bereits angekündigt war, zieht er zurück. Andere Hörspiele bearbeitet er mehr oder weniger einschneidend für den Druck im Sammelband ‚Stimmen' (1958) und eine Neuauflage der ‚Träume' (1959). Schon in den Bearbeitungen, wo nur einzelne Szenen und Stellen verändert oder ausgelassen werden, zeigen sich die Tendenzen der Bearbeitung: Entsentimentalisierung, Verschärfung, Verhärtung. Dort wo die Bearbeitungen so weitgehend sind, daß die Gesammelten Werke beide Fassungen bringen müssen, werden diese Tendenzen vollends unverkennbar. In der ersten Version des ‚Tiger Jussuf' weigert sich der Bäckermeister Richard trotz einer Gattin, die ihn verachtet und schikaniert, für immer ein Tiger zu bleiben. In der Bearbeitung bedauert Richard die Rückverwandlung: „Ich hatte von einer Zukunft ohne Semmeln geträumt." (III 1209) Er gibt Jussuf – die Stelle fehlt in der ersten Fassung – den Rat: „Lerne den Zynismus …, und du wirst Werte entdecken, wo keine sind." (III 1209) Der Blick auf die Welt ist in der Neufassung illusionsloser. Das ist auch die zweite Gabriele (‚Die Mädchen von Viterbo'). Ihre Illusionslosigkeit grenzt oft an Sarkasmus, ihr Verhältnis zum Großvater ist gespannter, der Umgangston härter. Eine Stelle zum Vergleich: Frau Winter, bei der die beiden versteckt sind, ist eben nach Hause gekommen und will das Nachtessen zubereiten: „*Gabriele:* Ich helfe, Frau Winter. *Frau Winter:* Nein, nein, nein, bleib da, Gabriele. Die Küche ist zu nahe an der Korridortüre." (II 649) In der Fassung von 1958 lautet dieselbe Stelle: „*Goldschmidt:* Hilf lieber Frau Winter! *Gabriele:* Du weißt, sie will es nicht. Zu nahe an der Korridortür." (III 1159) Die Aussage bleibt dieselbe, aber die Hintergründe sind verändert. In der Urfassung ist der Vorgang einmalig, jedenfalls wird so getan, als ob es sei. In der Bearbeitung erscheint er als immer wieder, bis zum Überdruß durchgespielt, hinter der Abgebrühtheit und Schnoddrigkeit von Gabrieles Antwort äußert sich verzweifelte Müdigkeit, die den von hier zurückzulegenden Weg ins Einverständnis im Rückblick als unglaublich lang und schwierig erscheinen läßt.

Eichs Bearbeitungen mußten, auch wo sie einschneidend waren, auf ein Hindernis stoßen: die Sprache. Für die Sprache der klassischen Hörspiele Eichs gilt weitgehend dasselbe wie für die Gedichte der Sammlung ‚Botschaften des Regens‘: Sie ist bei aller Nüchternheit und Genauigkeit immer wieder auf Schönheit, Poesie bedacht. Ein unscheinbarer Dialog aus ‚Die Andere und ich‘ als Beispiel: Camilla steht mit ihrem einjährigen Söhnlein im Arm am Ufer, während ihr Mann Giovanni zum Fischen ausfährt. Er bittet sie, noch etwas draußen stehen zu bleiben, damit er sie und das Kind länger sehen könne. „*Giovanni:* Der Wind wird ihm nicht schaden. *Camilla:* Nein, der Wind wird ihm nicht schaden.“ (II 520) Es scheint, als könnte man die Personen nicht einfacher, stiller sprechen lassen. Dennoch legt sich durch die melancholische Wiederholung des Satzes etwas wie ein Glanz über den Dialog, das, was man immer wieder rühmend das Dichterische, Magische genannt und besonders in den klassischen Hörspielen gefunden hat. Heinz Piontek schreibt von „liquider, durchscheinender Poesie“, von den „Schimmern des Spätsommers und dem Hauch des Abends …“[28] Dagegen findet Walter Höllerer 1959: „… zumindest wird in seinen besten Hörspielen die in den Situationen lauernde Magie durch die Sprache aufgefangen.“[29] Höllerers Beurteilung ist richtiger. Aber es ist nicht zu leugnen, daß die Sprache von Eichs Hörspielen den Hörer vielfach einstimmt und vielleicht bezaubert. Die gängige Inszenierungstechnik pflegt die magische Tendenz von Eichs Hörspielsprache zu unterstreichen. Wenn sie sie stattdessen kontern würde, wenn – ganz simpel gesagt – statt der bei Eich-Regisseuren überaus beliebten Blende (dem langsamen Überschneiden von innerer und äußerer Zeit, dem langsamen akustischen ‚Aus- und Einblenden‘) häufiger der harte ‚Schnitt‘ eingesetzt würde, dann könnten von Eichs Hörspielwerk der fünfziger Jahre zweifellos ganz neue Impulse ausgehen.

Vordringlicher wäre allerdings, daß die vernachlässigten Hörspiele ab 1959 zuerst den ihnen gebührenden Platz in den Programmen erhielten.

Es ist berechtigt, bereits an dieser Stelle eine vorläufige Bilanz zu ziehen über Eichs Bedeutung für das Hörspiel. Eich selbst hat die noch folgenden Hörspiele scharf von den vorausgehenden abgehoben: ,,Bis auf die letzten vier[30] muß ich mich von allen distanzieren" (IV 414), sagt er 1971. Zudem gelangt sowohl die Eich- als auch die Hörspielforschung zu ihren Resultaten fast ausschließlich auf Grund der Hörspiele der fünfziger Jahre. Für sie – und nur für sie – ist Eich überschwenglich gefeiert worden. Und wird es noch: ,,als der Dichter, der unser aller Träume dichtet" (Karl Korn, wieder und wieder in Klappentexten und Verlagsinformationen zitiert). Und in einer 1974 gedruckten Dissertation werden aus den klassischen Hörspielen Formeln gekeltert wie die von der ,,Urverwandschaft alles Seienden", vom ,,poetischen Raum des absoluten, vorsprachlichen Seins" und dem ,,Unscheinbarsten", in dem ,,das Weltgeheimnis" zu finden sei. ,,In diesem Sinne erscheint uns Eich gleichsam als der Thornton Wilder des Hörspiels."[31] Fast folgerichtig hat der manchmal grotesk hymnische Ton der Eich-Apologeten die Kritiker genau bei denselben Hörspielen ansetzen lassen, unter Aussparung der letzten Hörspiele Eichs.

Eich – das steht fest – hat mit seinen Hörspielen in den fünfziger Jahren ein unvergleichliches Echo gehabt. Setzte man behelfsmäßig Hörer-Leser, so hätte Eich weit größere Auflagen zu verzeichnen als jeder andere deutsche Autor. Ganz abgesehen davon, daß auch die Buchausgaben der Hörspiele sich gut verkauft haben und der Band ,Träume' ein Bestseller geworden ist.

,,Günter Eich und das Hörspiel ... das ist einer jener ganz wenigen Glücksfälle innerhalb der Moderne, wo ein Schriftsteller seine, ihm allein gemäße Form fand."[32] Eich hat das nie so dramatisch gesehen. Daß er zum Hörspiel gekommen sei, sei zunächst Zufall. ,,Nehme die Welt eher durchs Ohr als durchs Auge auf." (IV 407) Nach einer andern Bemerkung zieht ihn die Tatsache an, ,,daß es für das Hörspiel noch keine hamburgische Dramaturgie gibt. Ich fühle mich in diesem anarchischen Zustand, der Experimente weder fordert noch verbietet, recht wohl." (IV 439) 1950 attestiert er dem Rundfunk „insbesondere die Fähigkeit, Unwirkliches eindringlich darzustellen ..." (IV 400) Nach dieser Stelle ist die besonders gelagerte Realitätsproblematik Ausgangspunkt für die Auseinandersetzung mit dem Medium. Später, 1962, lockt ihn die Aufgabe, in einer Gattung, die die Pause nicht kennt – weil anders als im Theater die Person, die nicht spricht, im Hörspiel auch nicht da ist –, die also eigentlich ‚geschwätzige' Literatur ergeben müßte, so zu „schreiben, daß die Worte das Schweigen einschließen, d. h., es muß *zwischen* den Zeilen ebensoviel geschehen wie *in* den Zeilen." (IV 306/7) Das Hörspiel bietet ihm die Möglichkeit, „die verschweigende Sprache" zu verwirklichen.

Am interessantesten ist die Position des Hörspielautors in der ‚Rede vor den Kriegsblinden' (1953) formuliert: „Zudem stehen wir Autoren, die wir für den Funk arbeiten, unter den Gesetzen einer Apparatur, die wir immer mit wachsamem Mißtrauen beobachten sollen, auch wo wir uns ihrer bedienen." (IV 440) Wenn dieses Mißtrauen Form und Aussage des Hörspiels mitbestimmt, verwirklicht Eich damit eine Vorstufe der Medienkritik durch das Medium. Ebenfalls in der Kriegsblinden-Rede erwähnt Eich „die dem Lautsprecher seiner Herkunft nach innewohnende Direktheit, den Ruf, die Nachricht, das Authentische" (IV 439) als Elemente, die ihn veranlassen würden, Hörspiele zu schreiben. Diese Begründung hat Eichs Hörspielwerk bis 1958 stark geprägt. Sie erklärt den Appellcharakter fast aller Hörspiele. Sie sind radikale Aufrufe, die gesellschaftliche und individuelle Existenz zu bestehen und zu verbessern. Sie stellen fundierte Utopien dar, durchgesetzt gegen nie verhohlene Skepsis. Bezeichnenderweise (und nach 1958 undenkbar) wendet sich Eich in der Kriegsblinden-Rede nicht nur gegen „jene Kommissare und Manager ..., die emsig bemüht sind, die Erde endgültig zum Konzentrationslager zu ordnen", sondern auch gegen die „in aller heutigen Kulturkritik" waltende „Resignation und Verzweiflung, die im Kreise geht und nichts Besseres hervorzurufen geeignet ist als Selbstmitleid". (IV 438)

73

„Alles, was geschieht, geht dich an" (II 289) – der Schlußvers des Einleitungsgedichtes der ‚Träume' ist als Motto für das gesamte Hörspielwerk der fünfziger Jahre zu verstehen. Es enthält die Aufforderung, an der Verwirklichung einer human-sozialistischen Gesellschaft mitzuarbeiten. Von dieser Aufforderung her kann nur Taschenspielerei Eichs Hörspielschaffen der fünfziger Jahre in den Formeln „Besinnlichkeit", „subtile Harmonisierung von Gegensätzen und Widersprüchen", „der latente Hang zum Irrationalismus", „einem weitverbreiteten apolitischen Bewußtsein entsprechend" (Klaus Schöning)[33] erfassen wollen. Auch Vormwegs Urteil vergröbert: „Eich ist in den fünfziger Jahren ... in eine moderne Innerlichkeit ausgewichen ... vor allem im Hörspiel ..."[34] Vormweg erhebt Ansätze („einer neoromantischen Mystik und neoromantische Vorstellungen von der Au onomie der Dichtung") in den Rang von Grundtendenzen.

Eich hat erkannt, welche Möglichkeiten das in jenen Jahren vom Fernsehen unangefochtene Massenmedium Radio bot. Seine Hörspiele haben den Hörer gefordert und ihn zum kritischen Zeitgenossen erziehen wollen. Als solcher sollte er Utopien einer besseren Welt von Illusionen über eine solche unterscheiden lernen. „Mit der gleichen Radikalität, mit der er sich selber an die Grenzen seiner Aussagekraft herantreibt, tritt Eich auch seinen Hörern gegenüber ... Eichs Forderung ist ungeheuer radikal ... Die Gespräche haben ungeheure innere und äußere Konsequenzen."[35] Michael Gäblers Sätze über Eichs Hörspiele brauchen in keinem Punkt berichtigt zu werden. Daran ändert weder die Tatsache etwas, daß Eichs klassische Hörspiele von denen, die sie lieben, allzu rasch zu dichterischen Gleichnissen entschärft werden, noch die andere Tatsache, daß Eich selbst ihr schärfster Kritiker war und in den noch folgenden Hörspielen eine andere Position gegenüber dem Hörer bezog.

Eine Zusammenfassung von Eichs Poetologie (Literaturtheorie) ist schon jetzt angebracht, weil sie sich fast ausschließlich auf eine Äußerung von 1956 stützt. Eich hat sie anläßlich einer deutsch-französischen Schriftstellertagung im burgundischen Vézelay getan. Er ist in der Folge immer wieder darauf festgelegt worden, und sie wurde ihm entsprechend verdächtig. Noch in einem seiner letzten Maulwürfe von ‚Ein Tibeter in meinem Büro' formuliert er seine Skepsis: ,,Am Eschersheimer Turm sagte ich, was ich immer sage. Aber dort sprach ich es aus. Ich sprach es am Eschersheimer Turm aus wie in Kyoto und Vézelay ... Einmal ausgesprochen ist für immer gesagt, zu meinem Leidwesen. Man möchte manches wieder einatmen ..., man möchte seine bescheidenen Geheimnisse behalten." (,Exkurs über die Milz', I 372)

Der Vézelay-Text konfrontiert den Schriftsteller mit dem Realismus-Problem, das zu den ehrwürdigen Problemen der Literaturgeschichte ghört. Als Eich zu schreiben begann, anfangs der dreißiger Jahre, geriet er in den Realismusstreit der linken Schriftsteller und Literaturtheoretiker. Der Literaturwissenschaftler und Soziologe Georg Lukács hatte die Theorie aufgestellt, daß Kunst die bestehende Wirklichkeit nachzuahmen habe, und dies so, daß dabei jedes individuelle Schicksal als klassenmäßig typisch erscheine. Diesen ,,so biederen und linearen Wirklichkeitsbegriff" (Karlheinz Braun)[36] Lukács' haben andere linke Theoretiker scharf zurückgewiesen.

Eich hat sich interessanterweise mit zwei Exponenten dieser Debatte auseinandergesetzt. Mit Johannes R. Becher (dem späteren DDR-Kulturminister), der Lukács' Thesen für sein schriftstellerisches Schaffen akzeptierte, und mit Brecht, der ihnen widersprach. In einer Rezension von Bechers Roman ‚Der große Plan' deckt Eich auf, daß ,,die kommunistische Vorstellung von Dichtung ... offenbar ,schöne Worte machen' ist, also dieselbe Vorstellung, die alljährlich Tausende von Mondscheingedichten hervorbringt". (IV 421) Wenn er außerdem feststellt: ,,Nie kann ein Gedicht über den Fünfjahresplan konkurrenzieren mit der Wirkung von Statistiken", und wenn er eine „statistische Darstellung des Fünfjahresplanes ... wichtiger, interessanter und ehrlicher" nennt, dann formuliert dies Eichs Überzeugung, daß die Umsetzung von Lukács' Theorie keineswegs realistische Literatur ergibt. In einer Rezension von Villon-Gedichten zweifelt er allerdings auch den Realismus von Brechts ‚Baal‘ an, weil es zweifelhaft sei, ob Literatur noch (wie bei Rimbaud) „die Lockung der Zivilisation" verleugnen könne und einfach „aus der Kraft des gelebten Lebens" (IV 420) zu schaffen sei.

Seine eigene Position hatte Eich 1930 formuliert, in der Antwort auf eine Umfrage: „Mir selbst stelle ich keine Fragen über das Warum und die Tendenzen meines Schaffens, kann sie also auch nicht beantworten ... und ich werde immer darauf verzichten, auf mein ‚soziales Empfinden‘ hinzuweisen ..." (IV 387) Auf die gleiche Umfrage hatte der Arbeiterdichter Emil Ginkel geantwortet: „Neben meiner Arbeit in der Fabrik schreibe ich Agitation ... Ich fühle mich auch hier als Funktionär der Partei des klassenbewußten Arbeiters, woraus sich auch meine Stellungnahme gegen die bürgerliche Dichtung sozialen Charakters ergibt ... Ich weiß, daß dichtende Genossen wieder in die Betriebe gehen ... Sie wollen sich ... nicht von der Klasse trennen. Die Trennung von der Basis würde mein geistiger Tod sein."[37]

Eich stellt sich mit seiner Stellungnahme außerhalb der beiden Parteien der Realismusdebatte. Er nimmt ungefähr dieselbe Position ein wie Benn 1934 in der autobiographischen Schrift ‚Lebensweg eines Intellektualisten‘, in der vom Schriftsteller asoziales Verhalten geradezu gefordert wird.

1949 dann schließt Eich einen Zeitungsartikel mit den Sätzen: „Die großen Leistungen einer realistisch orientierten Literatur in Ehren – einen Totalitätsanspruch daraus herzuleiten, wäre ein Armutszeugnis ..." (IV 396) Die Literatur hat nach Eich das Recht und sogar die Pflicht, Wirklichkeit umzusetzen, auch wenn sie nicht ohne sie auskommen wird: „Jedes echte Buch der

Gegenwart schließt, ohne daß auch nur mit einem einzigen Wort die Rede davon sein müßte, Ergebnisse der Psychologie, der Physik, der Geschichtsbetrachtung usw. mit ein." (IV 395) Das Problem des Schriftstellers ist, die physikalische, historische und psychologische Wirklichkeit mit der geforderten „Genauigkeit" umzusetzen in „Form" und „Stil". 1956 ist das Problem ein anderes geworden. Die Vézelay-Äußerung setzt ein mit Eichs Eingeständnis, nicht zu wissen, was Wirklichkeit sei. „Nach meiner Vermutung liegt das Unbehagen an der Wirklichkeit in dem, was man Zeit nennt. Daß der Augenblick, wo ich dies sage, sogleich der Vergangenheit angehört, finde ich absurd. Ich bin nicht fähig, die Wirklichkeit so, wie sie sich uns präsentiert, als Wirklichkeit hinzunehmen." (IV 441) Für das Schreiben bedeutet dies, daß die Wirklichkeit nicht „Voraussetzung, sondern ... Ziel" ist. „Ich muß sie erst herstellen." Dies aber bleibt Versuch, Annäherung. Denn „die Sprache, in der das Wort und das Ding zusammenfallen", ist nicht mehr einsehbar. Es gilt „zu übersetzen. Wir übersetzen, ohne den Urtext zu haben. Die gelungenste Übersetzung kommt ihm am nächsten und erreicht den höchsten Grad von Wirklichkeit." Wirklichkeit ist eine „unbekannte Fläche", literarische Texte sind darin wie „trigonometrische Punkte oder Bojen, die ... den Kurs markieren".

Die Hörspiele der fünfziger Jahre basieren auf dieser Theorie. Die Absurdität des Zeit- und Wirklichkeitsbegriffs ist darin eine zentrale Erfahrung. Und die These, daß Wort und Sache sich nicht decken, sowie die davon abgeleitete Übersetzungstheorie ist in den Hörspielen mehrmals, beinahe wörtlich formuliert. „Ja, in diesem Fall stimmt die Benennung mit der Sache überein." (‚Der letzte Tag‘, III 895) „Man muß übersetzen, wenn das Original nicht vorhanden ist." (‚Allah hat hundert Namen‘, III 1036) Und schon 1952 ließ Eich den Tiger Jussuf über seine Gespräche mit dem Dompteur sagen: „Man kann diese Dialoge allenfalls übersetzen, was einerseits schwierig ist, da das Original fehlt, andererseits die Unvollkommenheit aller Übersetzung nachweist." (II 584)

Eichs Literaturtheorie deckt sich genau mit der Literatur, die er gleichzeitig schafft. Bei der Rezeption der Theorie wurde teilweise die angeblich magische Sprache Eichs auf sie zurückgeführt. Da ist allerdings zu fragen, wie weit diese, sofern sie tatsächlich magisch ist, es nicht entgegen der Vézelay-Theorie ist. Nach dieser wäre nur die „Ursprache", wo Wort und Ding noch zusammenfielen, magisch. Die Sprache der Literatur hingegen, wie jede Sprache nur eine annähernde, ist gerade durch den Verlust der Magie gekennzeichnet. Nur „einen Abglanz des magischen Zustandes, wo es mit dem gemeinten Gegenstand eins ist" (IV 446), bewahre jedes Wort, hatte Eich schon 1953, in der Kriegsblinden-Rede, formuliert.

Es ist bisher als selbstverständlich angenommen worden, daß Eichs Literaturtheorie von 1956 auch für sein Werk nach 1958 gültig sei. Das ist begreiflich und gefährlich. Begreiflich, weil alle späteren poetologischen Bemerkungen Eichs Notiz, zufällige Äußerung (in Interviews) sind und nicht programmatisch ausgewertet werden sollten; auch hat Eich die Vézelay-Theorie nie widerrufen oder berichtigt. Gefährlich deshalb, weil die Berufung auf sie eine unbefangene Betrachtung des späteren Werks belasten könnte. Zwar äußert Eich 1971 auf die Frage, ob er den Eindruck habe, durch sein Schaffen eine Realität zu verändern: „Durch Texte kann man gar nichts verändern. Ich will nur eine Realität gewinnen." (IV 414) Soweit entspricht Eichs Position von 1971 derjenigen von 1956. Auch an der „Entscheidung, die Welt als Sprache zu sehen" (IV 441), hat sich gewiß nichts geändert. Dennoch wirkt die Vézelay-Äußerung gegenüber den Gedichtbänden und Hörspielen ab 1964 und gegenüber den Maulwürfen teilweise antiquiert. Vor allem das Problem von Ursprache und Übersetzung scheint an Bedeutung zu verlieren.

Wolfgang Hildesheimer hat die Vézelay-Thesen weiterentwickelt und vom Wirklichkeits-Begriff des Textes die Theorie des Absurden hergeleitet. (Hildesheimers Definition des Absurden: „Das Absurde ist die Vernunftwidrigkeit der Welt, indem sie dem Menschen die Antwort auf seine Frage verweigert.")[38]

Erst in dieser Weiterführung gewinnt Eichs alte Theorie die Dimensionen, die sie für seine letzten Werke brauchbar macht (die ‚Maulwürfe' vor allem), und für jene Entwicklung, die Eich selbst 1967 mit der Formulierung „vom Ernst immer mehr zum Blödsinn" (IV 408) umschrieben hat.

IV. 1959–1972

Mir liegt nichts daran, mich anmutig zu bewegen

1. Einleitung

Bildzeitungen – Kennedy – Chruschtschow – SPD – Mekong-delta – Gummiknüppel – Konjunktur – Wittgenstein – Notstandsgesetze – Banken- und Börsenwesen – Soziologische Bezüge – Bürgerliche Vorurteile – Schweizer Bank – Kasernenhof-Kompanie – Fernsehprogramm – Sexualvariante – Marxfreunde, Marxgegner – Bakunin – Karsunke – faschistoid – Beatles: Die Vokablen stammen alle aus Eichs Gedichten und Hörspielen der sechziger Jahre und aus den Maulwürfen. Die Reihe ließe sich seitenlang weiterführen. Am Ende hätte sie keineswegs das vermittelt, worüber Eich in diesen Jahren schreibt; schon eher einen Teil der Anstöße seines Schreibens; vor allem aber einen Überblick über die Epoche, in der er schreibt.

In den Werken der fünfziger Jahre sind Bikini, Korea, Wasserstoffbombe aufgetaucht als Stichwörter einer historischen Epoche und eines ethisch-politischen Engagements.

Jetzt stehen:

das Mekongdelta für den Vietnamkrieg. Er ist in Westeuropa zuerst als Kampf der Amerikaner für unser aller Freiheit angepriesen worden. Allmählich wurde er zum unverständlichsten und teuersten Krieg aller Zeiten, zu einem Beispiel sturen Imperialismus'. Er ist von den deutschen Intellektuellen im allgemeinen und den deutschen Schriftstellern im besonderen heftiger diskutiert worden als je ein politisches Ereignis, das Deutschland nicht direkt betraf. 1966 erschienen Erich Frieds Vietnam-Gedichte, 1968 wurde Peter Weiss' ‚Viet Nam-Diskurs' aufgeführt. In einem von Eichs Maulwürfen, im Januar 1968 geschrieben, heißt es: „Einmal nahm ich ihn ins Theater mit. Für Maulwürfe ist nichts gemütlicher als das Mekongdelta vom Parkett aus." (‚Zwischenakt', I 303);

Kennedy / Chruschtschow für die beiden Mächte, die das Schicksal der Welt in jenem Jahrzehnt bestimmten, für „die Deformierung der Welt in zwei Machtblöcke". (I 365) Die beiden Namen stehen auch für eine Zeit der Legendenbildung: der Legende von jenem, der in der Uno mit dem Schuh auf den Tisch schlug und als kleiner Gärtner auf seiner Datscha endete; der Legende vom Helden, der eine schwere Krankheit überwand, eine schöne Frau heiratete und auf der Höhe von Glück und Macht eines gewaltsamen Todes starb;

Gummiknüppel / Notstandsgesetze für die Jahre, in denen eine Minderheit eine Gesellschaft in Frage stellte und provozierte, der es sonst überaus glänzend gehen konnte. Studentenunruhen, monumentale Polizeieinsätze in den Universitätsstädten – der Staat begann resolut, sich wieder zu sichern, der Bundestag verabschiedete 1968 mit Unterstützung aller Parteien die Notstandsgesetze. Eich: „Ich wache auf und bin gleich im Notstand." (‚Episode', I 314);

IG-Farben / Banken- und Börsenwesen / Schweizer Bank / Konjunktur / Kasernenhof / Kompanie / Touristen für eine Gesellschaft, die in der besten aller Welten zu leben behauptete. Der Staat wußte, was er mit Polizeieinsätzen und Notstandsgesetzen zu schützen gedachte. Unruhen spielten sich schließlich nicht mehr in Ruinenlandschaften ab, der Wiederaufbau war gelungen, Deutschland zwanzig Jahre nach der Niederlage wieder eine Großmacht, wirtschaftlich jedenfalls, aber auch militärisch konnten sich sowohl der westliche wie der östliche Teil in den jeweiligen Bündnissystemen sehen lassen;

SPD für jene politische Partei, die für manche von Eichs Kollegen eine Hoffnung war, die 1955 noch gegen die Wiederbewaffnung gestimmt hatte, später aber die Notstandsgesetze unterstützte und 1966–69 die große Koalition mit der CDU/CSU eingegangen war. „Während die Toten / hurtig erkalten, / ein langsamer Walzer /für die SPD" (‚Seminar für Hinterbliebene', I 169), schrieb Eich damals. Auf den Sieg der

SPD in der Bundestagswahl von 1972 hat Eich kein Gedicht mehr geschrieben;

Soziologische Bezüge / Beatles / Sexualvariante / Wittgenstein / Fernsehprogramm / Bildzeitungen / Karsunke für eine Epoche verschiedenster geistiger Strömungen und extremer Veränderungen des Bewußtseins. Soziologie und Sexologie wurden Populärwissenschaften. Ein Teil der jungen Autoren empfing entscheidende Impulse von der Sprachphilosophie und der Linguistik, eine andere Gruppe berief sich auf die aus Amerika nach Europa geschwemmte Popkultur, die sich als Antikultur, Wegwerfkultur verstanden haben wollte, und wieder andere überholen die Gruppe 47 links und fordern, daß Kunst sich auf den Barrikaden zu bewähren habe. Aber letztlich agieren diese Gruppen am Rand der Gesellschaft, die in ihrer Mehrheit Kultur, wenn überhaupt, nur durch Bildzeitungen und Fernsehen gefiltert zur Kenntnis nimmt;

Marxgegner /Marxfreunde /faschistoid / bürgerliche Vorurteile / Bakunin für Fronten, die abgesteckt wurden, wobei diejenigen, die die Fronten absteckten, sie dabei manchmal klärten, aber oft nicht verhindern konnten, daß sie erstarrten oder verwischt wurden; für eine Zeit, die sich der Ideologiekritik verschrieben hatte und sie leicht in neuen Schlagwörtern zur neuen Ideologie gerinnen ließ. Eich entschied sich, ,,die Narren auf verlorenem Posten" zu ,,feiern". (,Huldigung an Bakunin', I 318)

Kein Zweifel, die Epoche, ihre Geschichte und ihre Gesellschaft lassen sich zusammensetzen. Auch die Mondlandung, die die Welt 1966 faszinierte, kommt vor (,,Merkwürdig", heißt es in Bezug auf die Rückseite des Mondes, ,,alles war klar und jetzt hat mich die vorjährige Astronautik verwirrt". ,Schöne Frühe', I 344), und falls die *Vokabeln* für die Errichtung der Berliner Mauer (1961) und den Einmarsch der Russen in die Tschechoslowakei (1968) fehlen, so heißt das noch lange nicht, daß die *Sache* nicht vorkommt. Sollte sie das aber wirklich, könnte es damit zusammenhängen, daß Eich nicht mehr die Gewißheit hatte, daß es von Nutzen war, wenn ihn alles, was geschah, anging.

Die Autoren, die nach dem Krieg mit Eich zusammen zu schreiben begonnen hatten oder die er im Verlauf der fünfziger Jahre in der Gruppe 47 hatte auftreten sehen, waren vergessen oder gemacht. *Der neue Böll, der neue Lenz* lugten jeweils an den Mittelmeerstränden aus der Badetasche. Bald auch *der neue Grass* – die Aufregung, für die der Autor noch 1959 mit der ‚Blechtrommel‘ gesorgt hatte, kam sogar denen im nachhinein unbegreiflich vor, die sich aufgeregt hatten. Junge Autoren machten von sich reden, vor allem auf dem Theater. Aber der erfolgreichste von ihnen, Peter Handke, ging, wie es sich gehörte, aus der Gruppe 47 (bzw. einer Beschimpfung derselben) hervor, die, solange sie existierte (bis 1967), die deutsche Literatur zu repräsentieren entschlossen war – auch in Schweden, Italien, Amerika, wo sie seltsamerweise Tagungen abhielt.

Es ließ sich, alles in allem, nicht schlecht leben für die Schriftsteller. Und wenn der CDU-Geschäftsführer Dufhues die Gruppe 47 als „heimliche Reichsschrifttumskammer" bezeichnete und der CDU-Kanzler Erhard Grass und Hochhuth mit „Pinschern" verglich, so war das dem Renommee der Beschimpften eher förderlich als abträglich. Mit der Zeit hatte man sich allerdings auch an die Unterschriften deutscher Autoren unter Resolutionen und Manifesten gewöhnt.

Eichs Ruhm zu Beginn der sechziger Jahre war solid. Er war kein Bestsellerautor. Aber wenn er wie zwischen 1948 und 1958 wieder fünfzig Funkarbeiten geschrieben hätte, wären fünfzig gesendet worden. Daß es bei fünf blieb, lag an ihm und bedeutete nicht, daß er vergessen worden wäre. Er erhinlt weiterhin Literaturpreise (bis 1968). Was er veröffentlichte, wurde zur Kenntnis genommen und diskutiert. Die Gedichtbände von 1964 und 1966 erschienen zwar nur noch in Auflagen von 3000 Exemplaren, aber das ging sozusagen allen Lyrikern gleich. Nach wie vor wurden dafür seine klassischen Hörspiele gesendet, und der erste Band der ‚Maulwürfe‘ wurde allein in der ‚Zeit‘ gleich dreimal besprochen. Die literarischen Diskussionen brauchten Eich wenig zu beunruhigen. Sie spielten sich höchstens im Zusammenhang mit dem Hörspiel auf seinem Buckel ab und betrafen da einen Teil seines Werks, von dem er selbst abgerückt war. Andere dieser Diskussionen mögen ihm bis zur Lächerlichkeit vertraut vorgekommen sein: so wenn 1967 Adorno und Hochhuth im Zusammenhang mit dem Dokumentartheater den Realismus-Streit der dreißiger Jahre wieder aufflammen ließen. Walter Höllerers ernsthafte Forderung nach „langen Gedichten" beantwortete Eich mit Vierzeilern unter dem Titel ‚Lange Gedichte' – ein Beispiel dafür, wie er Debattenseriosität zu kontern pflegte.

Eich hätte zufrieden sein können. Er mußte bloß gewillt sein, die Utopie einer humanen, sozialistischen Gesellschaft, wie er sie in den Hörspielen der fünfziger Jahre dargestellt hatte, als im Deutschland des Wirtschaftswunders annähernd verwirklicht anzusehen.

Eich war dazu offensichtlich nicht gewillt. Anders sind Trauer, Zorn, Hohn in seinem Werk zwischen 1959 und 1972 nicht zu erklären. In einem Gedicht (I 277/8) aus dem Jahr 1966 hat er nochmals ‚Inventur' erstellt. Was blieb, war eher weniger als 1948:

Zugetan den
Hühneraugenoperateuren,
heimlich saufenden
Nachtschwestern,
Leichenwäschern, Abortfrauen.

Abgeneigt
prominenten Friseuren,
Fürstenhochzeiten,
Brechtplatten,
realistischer Literatur.

Schriftsteller sein bedeute „die Entscheidung, die Welt als Sprache zu sehen“ (IV 441), hat Eich 1956 in Vézelay gesagt. Das galt auch 1959 noch, als er sich in Darmstadt für den Büchner-Preis bedankte. Auch die Büchner-Rede ist Poetologie. Aber eine andere, weil die Welt eine andere geworden ist und damit auch die Position der Sprache und des Schriftstellers in eben dieser Welt.

Die Aussage der Rede illustriert eine Reaktion darauf. Susanne Müller-Hanpft berichtet, gestützt auf eine Information Eichs: „Die ‚Frankfurter Allgemeine Zeitung‘, die normalerweise die Reden aller Büchnerpreisträger abzudrucken pflegte, hatte auch Eichs Rede zum Druck akzeptiert, jedoch ihr Angebot wieder zurückgezogen. Das ist ein erstaunliches Faktum, wenn man das kulturelle Prestige bedenkt, das der Büchner-Preis auch damals schon hatte.“[39] Es ist beizufügen: erstaunlich auch bei dem Prestige, das der Preisträger gerade damals hatte und das sich ja keineswegs auf spektakulär oppositionelle Allüre stützte. Man habe sich etwas Literarischeres für den Feuilleton-Teil erwartet! Damit beweist die Ablehnung eine bemerkenswerte Einsicht in die spezifischen Eigenschaften von Eichs Rede. Daß die Berichterstattung über die Preis-Feier in derselben Zeitung sich dann – wie Susanne Müller-Hanpft herausarbeitet – bemüht, die politische Brisanz von Eichs Rede ins rein Literarische umzufunktionieren und so unschädlich zu machen, paßt ins Bild.

„Ich kann meine Worte nicht immer mit Zitaten belegen. Da ich von der Macht und der gelenkten Sprache sprechen will und weniger davon als dagegen, kommt es mir vor allem darauf an, daß das Ärgernis hörbar wird.“ (IV 443) Seither hat es sich eingespielt, daß Redner aggressiv für Ehrungen danken. Die kühle und direkte Aggressivität Eichs, verbunden mit dem Hinweis, notfalls auch ohne Belege (was allerdings nicht heißen soll: ohne Argumente) das Ärgernis auszusprechen, weist auch heute noch auf einen Redner, der seiner Sache fast unverfroren sicher war. Max Frisch hatte ein Jahr zuvor seine im übrigen keineswegs sanftmütige Büchner-Rede viel umgänglicher eingeleitet: „… habe ich etwas zu sagen, was uns, wie ich meine, gemeinsam angeht und was den Geist von Georg Büchner … zumindest nicht verunglimpft, etwas Freimütiges also."[40]

Eich ist nicht nur seiner Sache sicher, sondern auch selbstbewußt. Fast die Hälfte der Preisreden 1951–71 enthalten eine tiefe Verneigung vor dem Schutzpatron des Preises. „Was würde Büchner dazu sagen",[40] fragt sich Marie-Luise Kaschnitz, als sie die Nachricht erhält, Preisträgerin zu sein. Und von Krolow über Erich Käster, Koeppen, Enzensberger bis zu Ingeborg Bachmann („Wie jeder, der hier gestanden ist und nicht wert war, Büchner das Schuhband zu lösen, habe ich es schwer …")[40] formuliert man gleichsam Entschuldigungen, mit Büchner im gleichen Atemzug genannt zu werden. Eich, indem er sich nicht entschuldigt, beansprucht Kongenialität. Nicht qualitativ vielleicht, aber in Bezug auf Haltung und Standpunkt.

Eichs Ausführungen basieren auf dem ‚Woyzeck‘, den schon Benn „noch einmal" gelesen hatte, bevor er nach Darmstadt fuhr, um den Büchner-Preis entgegenzunehmen. Benns Lektüre resultiert in der törichten Feststellung: „… wenn man das heute liest, hat es die Ruhe eines Kornfeldes und kommt wie ein Volkslied mit dem Gram der Herzen und der Trauer aller."[40] Eich legt seinen Ansatzpunkt im ‚Woyzeck‘ genau fest – es ist die Szene, wo der Doktor den Woyzeck mit Erbsen füttert, um der Wissenschaft willen. Von dieser Szene aus hält Eich „Kritik für das Schlüsselwort überhaupt" (IV 445) und „für den Wesenszug Büchners, der alle anderen Kennzeichnungen und Benennungen einschließt: Realismus, Politik, Groteske, Pessimismus, Ironie und selbst die Seifenblasen, die Narrheiten Valerios und des Prinzen Leonce …" Kritik / kritisch – die Vokabeln sind inflationär geworden seither. „In Deutschland sind nur Kümmerformen vorhanden und auch diese wenig geschätzt … Die grimmige Entschiedenheit, mit der wir Autorität anerkennen, läßt uns Kritik als Kriminaldelikt ansehen, mindestens als beklagenswerte Verirrung." In diesen Sätzen, wenn sie für sich allein genommen werden, ist der Text historisch. Kritik *muß* neuerdings in

Deutschland und anderswo *sein,* eine kritische Haltung *ist immer erwünscht* – meist folgt solchen Formeln allerdings ein *aber,* das die eben gewährte Freiheit illusorisch macht.

Was Eichs Kritik-Begriff jedoch nach wie vor als aktuell erscheinen läßt, ist seine Definition des *Mediums* der Kritik: es ist für ihn die Sprache. Nicht Inhalte, Anschauungen machen die Kritik wirksam und lassen sie ihren Anlaß überleben, sondern „Sprache, ... nicht als additiver Begriff, nicht als Summe aller Vokabeln und Formen, sondern wertend gemeint ... Die Sprache als Dichtung also ..., die ... in einem unerforschten Gebiet die erste Topographie versucht. Sie überrascht, erschreckt und ist unwiderleglich ... Sie ist exakt ..." (IV 446/7) Das ist selbstverständlich nicht Definition der Sprache, sondern Aufgabenstellung. Folgerichtig ist das nun eine der Partien, die, wie angekündigt, ohne Zitate auskommen. Die Sprache der Dichtung festlegen, definieren, hieße: sie klassifizierbar und zitierbar machen, und damit wäre sie leicht von denen zu bewältigen, zu überwältigen, die Interesse daran haben, sie zu verharmlosen und unschädlich zu machen. „Sprache, damit ist auch die esoterische, die experimentierende, die radikale Sprache gemeint. Je heftiger sie der Sprachregelung widerspricht ..." (IV 452) An anderer Stelle spricht Eich, schärfer, von „Sprachlenkung". Sie ist „die Grundtendenz ihrer (d. h. der Dichtung) Widersacherin". (IV 447) Und die Widersacherin der Dichtung ist die Macht, Sprachlenkung ihr Versuch, die Sprache, die Eich vertritt, aus dem Feld zu schlagen.

Eich geht es letztlich „um Kritik der Macht ..., darum, ihrem Anspruch das Ja zu verweigern". (IV 448) Die Macht ist der eigentliche Gegner, dem er sich mit schöpferischem Haß stellen will. „Wenn ich höre, daß sie schon im Tierreich vorgebildet ist und ‚eine durchgängige Erscheinung der gesellschaftlichen Ordnungen auf allen Seiten der Gesellung und sozialer Organisation' (Zitatende) darstellt, so setze ich dem das Ressentiment eines anarchischen Instinkts gegenüber: Durch die Deklaration der Macht als eines Weltprinzips hat sie sich bereits eine Legitimation errichtet ... Nein, mich ergreift kein freudiger Schauer angesichts der Macht, ich finde sie abscheulich, wo immer sie beansprucht oder erlistet, erkämpft, erzwungen oder wohl erworben sei." (IV 448/9)

Die gelenkte Sprache diffamiert sich selbst durch ihren Antwortcharakter, die Sprache der Dichtung hingegen zeichnet sich aus durch ihren Fragecharakter, dadurch daß sie *in Frage stellt.* Und die Situation des Schriftstellers: ,,Das Verzwickte an unserer Situation ist, daß die Antworten da sind, bevor die Fragen gestellt werden, ja, daß viele uns nicht wohlgesinnte Leute meinen, da es so gute Antworten gäbe, solle man auf die Fragen überhaupt verzichten." (IV 448) Das würde bedeuten, daß man die Antworten der Macht akzeptiert, samt den endgültigen Urteilen, die sie immer darstellen, wenn sie z. B. Wörter wie ,,zersetzend, nihilistisch, negativ, trostlos, intellektuell, heillos usw." verwendet und ihre positiven Begriffe dagegen setzt: ,,Mitte und Abendland und die Kulturgüter, die ganz unbemerkt aus dem Feuilleton abwandern, sich als Fleiß und Arbeit durchschlagen und sich im Wirtschaftsteil als ,konjunkturpolitische Werte' seßhaft machen." (IV 451)

Der Dichtung bleibt nichts anderes übrig, als eine der gelenkten Sprache diametral entgegengesetzte Sprache zu bewahren und zu entwickeln. Eine ohne diese ,,Werthierarchie, die … nicht nach Wahrheitsgehalten, sondern nach Machtmöglichkeiten orientiert" ist. Dichtung kann so nur als ,,Gegnerschaft und Widerstand … und Herausforderung der Macht" (IV 454) verstanden werden, wenn sie sinnvoll sein will.

Das sind, behelfsmäßig und fragmentarisch wiedergegeben, die Gedankengänge, die Eich in seinem und in Büchners Namen entwickelt. Wie gesagt: ,,die Entscheidung, die Welt als Sprache zu sehen", ist aufrechterhalten. Aber – und darin eben ist die Welt entscheidend anders geworden – auch die Mächtigen dieser Welt haben diese Entscheidung getroffen. Dadurch daß auch die Macht sich in Sprache äußert, in der ihr eigenen, gelenkten Sprache, ist sie bei Eich nicht kafkaesk-abstrakter Begriff und nicht Metapher, sondern konkrete, reale, tägliche Erfahrung. ,,Der Besitz der Gewehre oder der angeblichen Wahrheit, der

Druckereimaschinen, der Aktienpakete oder der Ministerien, ich möchte mir die Wahl nicht schwer machen, ich lasse nichts aus, und meine alle, auch die Vergangenheit, auch die Gegenwart, auch die Zukunft. Und ich meine nicht nur die deutsche Sprache und bin auch geographisch nicht festgelegt." (IV 453) Da ist unmißverständlich festgehalten, wer wo, wann die gelenkte Sprache einsetzt, wer Macht hat und ist.

Vierzehn Jahre später gelangt ein mehr als zwanzig Jahre jüngerer Büchnerpreisträger zu ähnlichen Resultaten. Peter Handke, der 1973 seine Dankrede mit dem Satz beginnt: „Wie wird man ein politischer Mensch?" und in der Folge begründet, warum er es nicht werden könne: „Seit ich mich erinnern kann, ekle ich mich vor der Macht ... Was mich unfähig und unwillig zu einer politischen Existenz macht, ist ... der Ekel vor der Macht ..."[41] Dieser Ekel ist identisch mit dem Ekel vor den „Erleichterungen und Totalitätsansprüchen durch Begriffe", und diese Formulierung divergiert kaum entscheidend von dem, was Eich mit der gelenkten Sprache meint. Am Schluß seiner Rede ersetzt Handke die Frage: „Wie wird man ein politischer Mensch?" durch eine andere: „Wie wird man ein poetischer Mensch?" Aber die beiden Existenzweisen schließen sich nicht aus. Denn „das hoffnungsbestimmte poetische Denken" ist es, „das die Welt immer wieder neu anfangen läßt, wenn ich sie in meiner Verstocktheit schon für versiegelt hielt, und es ist auch der Grund des Selbstbewußtseins, mit dem ich schreibe." „... die Welt immer neu anfangen läßt": Das läßt nur die Interpretation zu, daß die poetische Existenz die eigentlich politische sei.

So wie Eichs Sprache der Dichtung die eigentlich politische Sprache ist, sobald ,politisch' nicht abgegriffen-wertfrei verwendet wird, sondern einen Anspruch beinhaltet – den Anspruch des Wiederstands, der Gegnerschaft. *Diese* politische Sprache ist die Gegensprache zur Sprache der Politiker, zur gelenkten Sprache der Macht.

Wenn Eich sich beim Wort nimmt, wird fortan das, was er schreibt, politisch sein, weil „die Entscheidung, die Welt als Sprache zu sehen", eine politische Entscheidung ist. Eichs Werk nach der Büchner-Rede ist auf dem Hintergrund derselben zu verstehen. Er hat davon bis an sein Lebensende nichts zurücknehmen, er hat nichts daran berichtigen müssen.

Es wurde bloß immer später. Dabei war schon seine Vision von 1959 finster genug: „Diese Lebensbejahung in gelenkter Sprache ... Dieser ganze fatale Optimismus, so verdächtig und erwünscht und so genau nach Maß. Augen und Ohren fest geschlossen und ein strahlendes Lächeln auf allen Gesichtern, ein Lied, drei, vier, so marschieren wir zukunftsgläubig in die tausendundeine Art Unfreiheit. Es wird ernst gemacht, die perfekt funktionierende Gesellschaft herzustellen. Wir haben keine Zeit mehr, Ja zu sagen. Wenn unsere Arbeit nicht verstanden werden kann ... als Herausforderung der Macht, dann schreiben wir umsonst, dann sind wir positiv und schmücken das Schlachthaus mit Geranien. Die Chance, in das Nichts der gelenkten Sprache ein Wort zu setzen, wäre vertan." (IV 454)

Ein Wort gegen die Monumentalität des Nichts – Eich macht sich nichts vor und verbreitet keine Illusionen. Dennoch, und deswegen, sind seine Forderungen an Literatur politisch in einem ungleich radikaleren Sinn als etwa bei Günter Grass. Ein Vergleich mit dessen Büchner-Preis-Rede[40] würde das deutlich machen, obwohl Grass sie gehalten hat aufgeregt und noch ganz außer Atem von der zwanzig Tage zuvor abgeschlossenen Wahlkampagne für die SPD, und in heller Empörung über deren Niederlage. Sie ist gedacht als ein eminent politischer Akt. Die beiden Reden und Haltungen demonstrieren aber nichts anderes als den Unterschied zwischen politisch und politisierend.

Eich hat in der Position, die er für seine Person bezieht, auch diejenige Büchners zeitgemäß verstanden. Golo Manns naive Schlußfolgerung: „für die Revolution, für die Politik überhaupt war der Dichter von ‚Dantons Tod' verloren",[40] ist nicht diejenige Eichs. Hildesheimer, in seiner Büchner-Rede, vertritt die These, Büchner habe sich aus der Politik zurückgezogen, weil er die „zynische Menschenverachtung" der damaligen Obrigkeit erkannt habe. Und er vergleicht mit heute: „Zwar wird, wer heute die Wahrheit sagt, nicht mehr gehenkt, aber er wird auch nicht gehört. Die Resignation vor dieser Tatsache, denke ich, wäre heute wie damals ein Grund zur Flucht in die Poesie ... Büchner ... hat sich aus der Politik zurückgezogen, und wer diesen Rückzug mißbilligt, der hat die deutsche Wirklichkeit nicht begriffen."[40] Da scheint zunächst auch Eichs Position umschrieben. Aber nur, wenn man ergänzt: Die Flucht in die Poesie ist nicht Rückzug aus der Politik, sondern die neue Definition des Begriffs. Eich hat in dem, was er von nun an schrieb, nicht politisiert. Aber er hat seine Arbeit als politisch verstanden. Poesie ist nicht Rückzug aus der Politik, sondern der eigentliche und wesentliche Bezug einer politischen Position. Wo und wenn Revolutionen möglich oder erwünscht oder notwendig wären, ist die politische, nicht die politisierende Sprache Voraussetzung.

3. Die Marionettenspiele

Die Büchner-Rede ist die Reaktion auf die Hörspielkrise, und sie bedeutet den Ausweg aus ihr. 1958 hatte Eich für den Hörspielband ‚Stimmen' und eine Neuauflage der ‚Träume' sechs Hörspiele bearbeitet. Es wurde gezeigt, daß diese Bearbeitungen im Ansatz stecken bleiben mußten, weil die Sprache der Urfassungen nicht den Intentionen entsprach, die Eich bei den Bearbeitungen leiteten: Der Hörer/Leser, dessen Anfälligkeit für Magie und Stimmung Eich erkannt hatte, sollte härter angepackt und gefordert werden. An den Inhalten und Personen brauchte Eich dabei wenig zu ändern. Sprachlich jedoch hätten die Bearbeitungen radikaler sein müssen, wenn sie den Anforderungen entsprechen sollten, die Eich bald darauf in der Büchner-Rede umschrieb.

In zeitlicher Nähe zur Büchner-Rede und zu der darin entwickkelten Theorie von der politischen Sprache der Dichtung entstanden 1959 und 1960 die Neufassungen von drei weiteren Hörspielen. Der Büchner-Rede unmittelbar voraus aber ging ‚Unter Wasser', das erste der beiden Marionettenspiele. An der

Rede arbeitete Eich im September und Oktober 1959, ‚Unter Wasser‘ entstand im Juli. Es müßte demnach Eichs Theorie von der Dichtung als Widerstand in der Praxis antizipieren. Daß dies in einem Marionettenspiel der Fall ist, kann nochmals zeigen, was Eichs Theorie *nicht* meint: nämlich nicht Themen und Stoffe aus dem Bereich der Politik, die leicht die politisierende Sprache zur Folge haben, statt die Gegensprache, die politische Sprache eben.

‚Unter Wasser‘ stellt historische Figuren (Agnes Bernauer) neben alltägliche (Hausierer), Engel neben Meerfrau, Seeschlange, Krebs, Hai. Und noch komplizierter: Die Hauptfigur Elias trägt nicht den eigenen Kopf, sondern den des Abimelech, der es Gott abgeschlagen hat, die Arche zu bauen und die Sintflut zu überleben. Elias mit dem Kopf des Abimelech hat sich eine heroische Biographie konstruiert: die eines Matrosen, der sich bei Trafalgar in die Schußbahn einer Kugel warf und so dem Admiral Nelson das Leben rettete. Aber dann findet Elias den richtigen Kopf und damit die richtige Biographie: die eines Raubmörders, der geköpft worden ist. Jetzt kennt ihn auch die Wirtin wieder, die sich Namen und Biographie der Agnes Bernauer angeeignet hat und von ihren Nächten mit Herzog Albrecht träumt. In Wirklichkeit war sie die Hure Mary, Elias war ihr Zuhälter und Geliebter, Mary ist im Zuchthaus gestorben. Ihre heroischen, sentimentalen, romantischen Erinnerungen reduzieren sich, aber auf ein herrlich ordinäres, anarchisches Glück: ,,*Elias:* Damals in Liverpool, auf den kleinen engen hübschen Straßen – *Agnes:* Nachts – *Elias:* Als du die Pfunde verdientest, die wir zusammen verbrauchten. – *Agnes:* Jagden, Fischzüge – *Elias:* Fette Fische, gefüllte Börsen, Stadträte und Minister, – und dazu unsere ungeheure Verschwiegenheit – *Er beginnt zu lachen. Sie fällt in sein Lachen ein*.‘‘ (IV 36/7) Die beiden verschwinden zusammen, Elias’ Gattin (eine putzsüchtige Meerfrau) und seine sechs Kinder übernimmt der Tintenfisch, ein Päderast: ,,Ich bin ... eine Abnormität ... Und ich möchte so wenig darauf verzichten wie du auf den Herzog Albrecht.‘‘ (IV 20/1)

Zum Personal unter Wasser gehört auch ein alter Krebs. Er könnte eine Art Selbstporträt Eichs sein, eines von der Art, die die alten Maler in ihren Bildern versteckt unterbrachten. Er haust mürrisch in einer unzugänglichen Höhle. „Ich bin böse, das ist der Weisheit letzter Schluß. Sieh dich um, dann begreifst du's. Und nun laß mich in Ruh!" (IV 25) Auf Elias' Frage, was er von Mexiko halte, wohin alle auswandern wollen, weil sich das Gerücht einer neuen Sintflut verbreitet hat, antwortet er lakonisch: „Ein erfundenes Land." Auf den Einwand, das seien keine Antworten: „Antworten sind billig. Sie läuten dich morgens schon wach, essen Vollkornbrot und atmen richtig, blasen Märsche, brennen Weihrauch und tragen rote Fahnen. *Wütend*. Aber stell mir eine gute Frage, – dafür gäbe ich was." Darauf die Seeschlange, indem sie ihn von hinten anspringt: „Da hast du sie. *Krebs sterbend:* Und die Bibel hat doch recht." (IV 27) Die Schlange behauptet: „Ich handle ganz nach Gottes Gebot." Da schwimmt „der Hai mit dem Kreuz" heran: „Ich auch. *Er beginnt die Schlange zu verzehren. Schlange:* Wo bleibt die Moral? *Hai:* Handle nach Gottes Gebot und wehre dich nicht." (IV 31)

Wie in den Hörspielen ‚Die Mädchen aus Viterbo‘, ‚Das Jahr Lazertis‘, ‚Die Brandung von Setúbal‘ ist auch in den Sterbeszenen von ‚Unter Wasser‘ der Tod ein Augenblick der Wahrheit. Aber die Wahrheit ist eine andere: nämlich Lüge, Gewalt, Heuchelei, und alles im Namen Gottes. Peter Horst Neumann stellt die letzte Epoche von Eichs Schaffen unter den Satz: „Eichs Theodizee war gescheitert."[42] Von dieser Bemerkung aus ergeben sich auch Bezüge zur Büchner-Rede. Gott und seine Moral stehen für die darin beschriebene Macht, der gegenüber, wie Eich sagt, es „Zeit ist für Hohn und Satire, die höchste Zeit". (IV 454) Der letzte Satz des Krebses ist Ausdruck dieses Hohns: „Und die Bibel hat doch recht." Der Hohn besteht nicht etwa darin, daß die Bibel *nicht* recht hätte. Sie hat *wirklich* recht, Gott ist so, wie sie ihn darstellt, und so, daß Elias „der Verdacht kommt, daß es der Teufel ist, der sich von jeher so nennt". (IV 31) Der Tod, der in den ‚Mädchen von Viterbo‘ die Existenz Gottes bewies, beweist jetzt, daß er eine Institution des Bösen ist. Die vielen Strahlen von Eichs leidenschaftlicher Aggressivität sind in diesem Spiel gebündelt auf die Gottesvorstellung der Bibel gerichtet. Am Anfang und Ende des Stücks tritt ein Engel auf. Er soll eine neue Sintflut ankündigen und Elias/Abimelech auffordern, diesmal die Arche zu bauen. ,,*Elias:* Sag ihm, er solle meinen Nachbar Noah wählen, einen ohne Liebe und ihm wohlgefällig. Er soll einen Rauch wählen, der gerade aufsteigt. Sage ihm: Nein." (IV 16) Der Engel tritt nochmals auf in der Schlußszene und tippt Elias' Bescheid auf die Schreibmaschine, um ihn Gott zu übermitteln. Das Papier kommt nach kurzer Zeit in Fetzen zerrissen wieder herunter: ,,*Engel:* Verworfen." (IV 41) Der Tintenfisch, angesichts der herunterflatternden Fetzen zum Engel: ,,Ich halte es für Regen. Man merkt es daran, daß man sich gelöst fühlt, trotz allem. Geht es Ihnen nicht ähnlich?" Von der höchsten Instanz verworfen zu werden, ist besser als angenommen, erwählt zu werden. ,Unter Wasser' ist Eichs erster Text, der angesichts des Zynismus dieser Instanz die Welt auf sich selber verweist. Es ist eine Welt unter Wasser, die absurderweise von einer neuen Sintflut bedroht ist. Eine Welt des billigen Glücks von Raubmörder und Hure, bevölkert mit kleinen Schurken und harmlosen Perversen. Das Personal unter Wasser gehört in die Liste am Ende der Büchner-Rede (,,Einzelgänger und Außenseiter, Ketzer . . ., die Unzufriedenen, die Unweisen, die Kämpfer auf verlorenem Posten, die Narren, die Untüchtigen, die glücklosen Träumer, die Schwärmer, die Störenfriede . . ." IV 455) und des Maulwurfs ,Ein Nachwort des Königs Midas' (I 338). Aber es sind diese Leute, die nein sagen, die allein schon in ihrer Existenz das Nein verkörpern. ,, *Tintenfisch:* Sage ihm nein, damit er sich freuen kann." (IV 18) Das ist nicht das Nein der Märtyrer und Heroen, es stehen keine Hoffungen und Illusionen dahinter, sondern das Wissen, daß diesem Gott sogar das Nein Genuß ist. Die Macht ist zynisch und sadistisch. Und Gott die am meisten institutionalisierte Ausprägung der Idee Macht.

1960 schreibt Eich ein zweites Marionettenspiel, ,Böhmische Schneider'. Es ist ein Stück Science Fiction-Literatur, die groteske Vision einer Welt, deren Ideologie die Mutation ist. Dank „dem Weitblick und der Entscheidungsfreiheit einer genialen Staatsführung ..." (IV 48) sind die Menschen verwandelt worden in dromedar- oder raubvogelartige Monstren, auch alle anderen Formen von Mutation gibt es, je weiter weg vom Menschen, desto verehrenswürdiger: „Unvorstellbare Zeiten, als alle Menschen gleich aussahen: ein Rumpf, ein Kopf, zwei Arme ... Und das Jahrtausende lang ... Diese Trägheit, diese dumpfe Zufriedenheit ... Und die Theorien, die trösten sollten." (IV 48) Ein einziger ist der Mutation entgangen, der Schneider Seidl, der sich bei seinem Kompagnon verstecken kann, weil dieser auf sein Genie angewiesen ist. Seidl träumt den klassischen Formen und Massen nach und schneidert heimlich Kostüme für seine Kunden aus alter Zeit, deren Büsten er im Tiefkühlschrank verborgen hat. Aber eines Tages wird er von einer Kundin seines Geschäftspartners entdeckt. Sie eilt davon, um ihn anzuzeigen, legt aber vorher dreihundertfünfundsechzig Eier, damit die ausschlüpfenden Jungen gleich etwas zum Anziehen haben. Aus einem der Eier schlüpft aber nicht eines der Ungeheuer der Mutation, sondern ein schönes nacktes Mädchen. Es zieht Seidl, ehe die Polizei ihn abholen kommt, in die Eierschale, und in ihr entschweben sie zusammen ins goldene Prag. Noch bevor die Polizei erscheint, tritt die nächste, nicht mehr tierhafte, sondern technische Stufe der Mutation auf, Bruni Abendstern, je nach Bedarf Plätteisen oder Staubsauger, und nach eigener Aussage „Gottes Ebenbild" (IV 62). Während sie mit Seidls Kompagnon über eine Anstellung verhandelt, dringen, auf der Suche nach Seidl, „durch Fenster und Tür Polizisten ein, in den verschiedensten Formen der Mutation, doch an Uniform und Gummiknüppel kenntlich". (IV 63)

Auch dieses scheinbar völlig phantastische Stück bleibt mit seinem Thema und in seinen Intentionen genau auf dem Boden der Realität. Die Phantastik demonstriert sie in ihren extremen Polen. Der eine: die verwaltete, gleichgeschaltete, gelenkte Gesellschaft, gekennzeichnet durch Rassismus, eine allgegenwärtige Staatsmacht und einen pervertierten Fortschrittsglauben; der andere Pol: der Einzelne, der die echte (innere) Individualität gegenüber der falschen (äußeren) vertritt, der verbotenerweise die Erinnerungen an Schönheit, Liebe, Gespräche bewahrt. „Bedenken Sie doch", sagt Seidl zu dem Mädchen, „wir sind Abfall, der aus der Welt gekehrt wird. Bestenfalls ein Leben in Kellern und Besenkammern, – *leise* – nur zu ertragen, wenn man nicht allein ist." (IV 60) Auch da äußert sich Auflehnung, Anarchismus – aber ohne Aussicht und nutzlos, Seidls Rettung ist opernhaft, zu schön, um wahr zu sein. Aber diese Haltung der Auflehnung ist eine politische, die einzige, die nicht politisch mit opportunistisch gleichsetzt. Das Paradoxe dieses Spiels liegt darin, daß das Normale hier die Abnormität ist und daß die Rebellen die Bewahrenden, also konservativ sind. Aber genau darin besteht laut Büchner-Rede die Qualität der Sprache der Literatur, daß darin Vokabeln und Termini, anders als in der Sprache der Macht, neu und differenziert verwendet werden.

Eich, der seinem Werk gegenüber ungewöhnlich kritisch eingestellt war, hat die Marionettenspiele geliebt. Sie wurden trotzdem kaum beachtet. Eich hatte eine Gattung gewählt, die der Literaturkritik bisher kaum Anlaß zur Aufmerksamkeit bot. Die scharfsinnigen und kühnen Texte, mit ihrem exakten, raschen Dialog, müßten auch auf dem Theater erprobt werden.

4. Die letzten Hörspiele

Eich hat, von einer Nestroy-Bearbeitung abgesehen, zwischen 1959 und 1972 nur noch fünf Hörspiele geschrieben. Drei davon in den Jahren 1959/60 – die Neufassungen von ‚Die Stunde des Huflattichs', ‚Blick auf Venedig' und ‚Die Gäste des Herrn Birowski', letzteres mit dem neuen Titel ‚Meine sieben jungen Freunde'. Dann die erste lange Hörspiel-Pause: Erst 1964 schreibt Eich ‚Man bittet zu läuten', sein wichtigstes Hörspiel, und, nach noch längerer Unterbrechung, 1971 ‚Zeit und Kartoffeln'.

Besonders kompliziert ist der Weg zur Schlußfassung von ‚Die Stunde des Huflattichs'. Erst die achte Überarbeitung ist die endgültige. Ausgangspunkt aller Fassungen ist die Vorstellung, daß die Welt von Riesenhuflattich überwachsen und allmählich alles Leben erstickt wird. Nur in einer Höhle in der Auvergne gibt es Überlebende.

Das erste Modell (1956 geschrieben, aber nie gesendet) erzählt die Ereignisse linear. Verschiedene Bewohner einer Vorstadtsiedlung erleben, wie plötzlich im Spätherbst Huflattich zu blühen, zu wachsen beginnt und alles überwuchert. Die Leute ziehen nach einigen Jahren weg in die Auvergne, wo Lebensmitteldepots angelegt sein sollen. Einige bleiben unterwegs zurück, vier kommen in den Höhlen an, bleiben dort, zwei sterben. Der Student Raimund geht wieder weg, um andere Menschen zu suchen. Silvester, der beim Aufbruch ein Kind war, ist zuletzt allein, wird achtzig-, hundertjährig. Er bleibt, auch als nach Jahrzehnten Raimund zurückkehrt und gleich weiterzieht, immer noch auf der Suche nach anderen Überlebenden.

Diese Fassung stellt die Dramatik der Katastrophe ins Zentrum: die Fehler, die man macht, weil man zuerst verharmlost und die Augen verschließt, die beruhigenden Erklärungen der ,,zuständigen Stellen", Hamsterkäufe, Egoismus, die wachsende Angst. Dann, in der Auvergne: Alter, Krankheit, Verzweiflung, Verlust der Erinnerungen, Tod. Und am Ende: Silvesters Auflehnung (,,Ich schäme mich dieser Hoffnung, aber ich bin immer noch nicht einverstanden mit dem Tod", III 953) und Raimunds Erkenntnis: ,,Wir waren so hochmütig, zu vermuten, daß wir die einzige Möglichkeit wären." (III 954) Aber zugleich, als letzte Spur eines unantastbaren Menschentums, der erneute Aufbruch: ,,Wir haben niemanden gefunden. Wir sollten weitersuchen." (III 954)

Die endgültige Fassung setzt dort ein, wo das erste Modell aufhört: in den Höhlen in der Auvergne. Die Personen sind alters- und geschlechtslos, die vier ersten Buchstaben des griechischen Alphabets dienen ihnen als Namen, die wirklichen Namen haben sie verloren. Identität und Individualität sind nur noch in Spuren vorhanden: Alpha hat sich das Sterben, Beta die Initiative bewahrt, als Erinnerungen an eine fast vergessene Vergangenheit. Auch Gefühle gibt es nicht mehr: „Kennt ihr das, was man Trauer nennt?" (III 1247) Es ist Alpha, der versucht, sich zu erinnern. Es geschieht aus einer nicht mehr meßbaren zeitlichen Ferne, nur für Augenblicke rekonstruiert die Erinnerung die Dramatik, meist bleibt sie bestimmt von der totalen Statik der gegenwärtigen Existenz.

Auf diese Weise verändert, gedämpft, bringt Eich die erste Fassung des Hörspiels in der zweiten unter. Szenen, die in der Gegenwart (Auvergne) spielen, wechseln mit solchen aus der Vergangenheit (Aufkommen des Huflattichs, Angst, Aufbruch).

Seit dem Aufbruch sind hundert, zweihundert Jahre vergangen. Die Vier haben sich eingerichtet, sich allmählich mit dem Huflattich nicht nur abgefunden, sondern arrangiert. Er ist für sie zu etwas Lebendigem geworden. Er bemerkt sie, und nachdem das Wachsen seit längerer Zeit aufgehört hat, beginnt er nun, sich zurückzubilden, abzusterben. „Der Huflattich macht Platz ..." (III 1247) Alpha deutet das als „Fortschritt" (III 1247): „der Huflattich nimmt Umgangsformen an ..." Daraus schließt er, daß die Pflanze „die Stellung, – *zögernd* – ich möchte sagen den höheren Rang des Menschen bemerkt." Für Alpha besteht der Fortschritt darin, daß die Hierarchien der vergessenen Welt wieder hergestellt werden. In diesem Augenblick stößt eine neue Person zu ihnen, Epsilon, und berichtet, daß der Huflattich Zeichen der Angst zeige, daß seine Stunde vorbei sei und die Stunde der Berge begonnen habe: „Sie werfen sich Feuer zu ... Es handelt sich um einen Gruß, eine Zärtlichkeit ... Um Sätze, um Zuneigung ... Feuertücher, fein und durchdringend, nichts, was sich verfestigt." (III 1267/8) Angesichts dieser neuen Gefahr entdecken alle ihre Sympathie für den Huflattich: „Es läßt sich doch gut leben ... Er macht alles einfach, gibt Schatten ..." (III 1267) Die längst vergessene Angst von einst bricht hervor: „Nein, wir wollen nicht verbrennen. Fort! Es gibt doch Ebenen, wo die Gefühle nicht aus Feuer sind und die Sprache der

Berge nicht verstanden wird. Dahin!" (III 1269) Das sagt Alpha, der sich aufs Sterben eingerichtet hat, jetzt aber findet: „... es ist noch zu früh, ich habe noch etwas vor ... Und ihr auch ... Uns zu erinnern, meine ich." (III 1269) An anderer Stelle hatte er „unsere Erzählungen" als das einzige, was nicht geleugnet werden kann, „als unsere Sicherheit, die einzige" (III 1257) bezeichnet.

Alphas scheinbar sinnlose, nostalgische Rekonstruktion der Vergangenheit hat also eine entscheidende Funktion. Wenn das Vergangene nicht erinnert, erzählt, zur Sprache gebracht wird, geht es unter, die existierende, zuwachsende, überwuchernde Welt setzt sich als die allein gültige und wahre durch. „Ich habe noch etwas vor" – das ist demnach ein Akt des Widerstands. Erneut eines aussichtslosen Widerstands. Die Schöpfung kommt ohne den menschlichen Geist aus, nicht einmal das Vegetative ist sicher. Angesichts der beginnenden Stunde der Berge ist der erneute Aufbruch lächerlich. Er bleibt trotzdem notwendig. Das Nicht-Vergessen durchzuhalten ist nicht Garantie für das Weiterleben. Aber die Alternative zum Einverständnis. „... euer unerträgliches Einverständnis ...", sagt Alpha zu den andern, als sie aufgeben wollen.

„Ich sehe mein Stück ... nicht als poésie pure an; gewiß ist das Engagierte darin verborgen, verkappt, umschrieben, aber für mich doch zentral da" (IV 404), schreibt Eich zu seinem Hörspiel. Daß er recht hat, kann bis ins Detail belegt werden. Alpha benutzt einmal plötzlich die Formel: „Bürgerliche Vorurteile. *Delta:* Was sagst du? *Alpha:* Es kam mir so über die Zunge. Bür-ger-li-che-vor-ur-tei-le." (III 1255) Ein Schlagwort von heute verwandelt sich in eine leere Silbenfolge, der Sprecher kann sich nichts mehr darunter vorstellen. Die Formel von heute, so zerlegt und in ihren Bestandteilen ausgestellt, ist aufgehoben und damit neu zu bedenken. Aufhebung ist die eigentliche Intention dieses Hörspiels. Aufgehoben ist (wie schon in ‚Böhmische Schneider', aber ernster, unspektakulärer) die vom Menschen bewohnte, bestimmte Welt. Das stellt sie erst grundsätzlich zur Diskussion und in Frage. Die Endzeitsituation ist eine Aufforderung zu neuer Unvoreingenommenheit bei der Betrachtung der Gegenwart.

„Das kleine Ungemach des Einzelnen, und so weiter, sich dienend einordnen, – lies es nach in zehntausend Schulaufsätzen, geschrieben in allen Sprachen. Man hat Pflichten gegenüber der Stadt, der Provinz, dem Vaterland und der Menschheit. Wo kämen wir hin, wenn Melancholie ein Grund wäre, keine Steuern zu zahlen? ... Was ein Mann ist, der trinkt und vögelt, er weiß, wie man einen Whisky kippt und hat die richtigen Maßstäbe, um die Welt nach Sperma und Nasenpopel zu ordnen. Wir wollen in die Knie sinken ... Und die Vitalität anbeten ... Visagen über Beinen, die fest auf der Erde stehen ... Kameraden, wir zwingen das Leben. Unsere Bilanz ist genehmigt, auch der Boss duldet keine Schwächlinge." (,Blick auf Venedig‘, III 1308)

„Es werden Zeitungen gedruckt, und man veranstaltet Gottesdienste und Fußballweltmeisterschaften ... wenn du an die Wand klopfst, ist der Nachbar still ... Man braucht sie doch alle die jungen Leute, braucht Grenadiere, Luftschutz und weibliche Brigaden, das alles ist wichtig, das muß herangezogen werden, und wer die Jugend hat, hat die Zukunft ... Es hat doch alles auch sein Gutes ... Zum Beispiel: Im Krieg ist niemand arbeitslos." (,Meine sieben jungen Freunde‘, III 1333)

In Eichs nächsten Hörspielen erfolgt der Blick auf die Gegenwart nicht mehr aus einer geschichtslosen Endzeit. Er ist sehr direkt, und direkt ist auch die Bitterkeit, in der er getan ist. Auf den Zynismus, der hinter der Weltordnung steckt, antwortet die zynische Sprache. Beide Hörspiele (1960) führen an den Rand der Gesellschaft und sind unmißverständlich, wenn auch nicht ausschließlich, sozial-kritisch in ihren Intentionen. Drei Blinde im einen, drei alte Sozialrentner im andern erfahren, wie die Gesellschaft sie abschiebt. Der blinde Emilio, um das wahrzunehmen, muß erst sehend werden. Er verliert dabei die Geborgenheit der Vorstellungen und Hoffnungen des Blinden („Früher war die Tischdecke aus Tausendundeine Nacht, jetzt stammt sie aus dem Ausverkauf", III 1299), wird aber auch von der Realität der Sehenden zurückgestoßen: Er verliert seine Stelle, weil sie traditionsgemäß einem Blinden vorbehalten ist, er hetzt von einem Amt zum andern, um Arbeit zu finden, wird immer registriert und vertröstet. Schließlich jagt er sich eine Kugel durch den Kopf. Er stirbt nicht daran, wird aber wieder blind. Er kehrt zurück zu seinen blinden Freunden Gaspara und Benedetto, die er nach seiner Augenoperation verlassen hatte. Benedetto entwirft ihm den Plan einer Sprachlehre für Blinde, einer neuen Sprache überhaupt, einer, in der Farben nicht vorkommen. „*Emilio:* Bald wird es mich auch beschäftigen ... Wenn mich die Erinnerung an Farben nicht unfähig macht." (III 1310) Das Hörspiel endet skeptisch, aber auch in einem zärtlichen, etwas verrückten Glück: der Solidarität der Außenseiter, der Lebenskrüppel, die sich weigern, der Welt der Sehenden, Gesunden anzugehören, ihre Sprache zu sprechen. Blindheit ist eine Form des Protests, Absage an die angeblich sehende Gesellschaft, deren Blindheit in Wirklichkeit viel fundamentaler ist, weil sie die Welt zwar sieht, aber nicht durchschaut.

In einem verfallenden Haus außerhalb der Stadt leben der achtzigjährige Birowski und zwei alte Frauen von einer kleinen Sozialrente (,Meine sieben jungen Freunde'). „Seit einem Jahr bin ich ein lebensbejahender Mensch. Genauer gesagt, seitdem ich vom Bier zum Spiritus übergegangen bin." (III 1315) Mit diesen Sätzen Birowskis beginnt das Hörspiel. Der Alte verschafft sich mit Hilfe des Spiritus imaginären Besuch: eine Kleptomanin, eine Kindsmörderin, ein Pferd, einen Professor, der eine Grammatik und ein Wörterbuch des Hesperidischen verfaßt hat („Wenn die ersten Fahrzeuge den Planeten Hesperus erreichen ...", III 1317), und andere, mit denen Birowski heitere Feste feiert. Die Nachbarinnen schauen durchs Schlüsselloch, und allmählich beginnen sie die nicht existierende Gesellschaft auch zu sehen und zu hören: „Eine zerschlissene Gesellschaft. Die Stube eine Theaterdekoration und man weiß nicht, wird Charleys Tante oder König Lear gespielt." (III 1336) Was gespielt wird, Schwank oder Tragödie, ist Birowskis Sterben.

Zunächst heiter, spielerisch. Aber zuletzt erkennt Birowski, daß seine sieben jungen Freunde Phantome, Illusionen sind: „Ihr seid nicht meine Freunde, Ihr habt den Aussatz, ihr seid giftig ... Geht weg ... Es war der Kalk und die Verlassenheit, daß ich es nicht früher bemerkt habe. Da steht ihr herum und wartet. Es langweilt euch schon, wie? ... Das ist der Augenblick. Marius ein uraltes Tier mit gelben Zähnen ... Endlich. *Marius wiehert.*" (III 1341) Die Freunde sind Todesengel. Birowskis Sterben ist nicht nur um Welten entfernt von dem in den klassischen Hörspielen, sondern auch schon weit weg vom Hohn, den der Krebs („Unter Wasser') noch schafft als Reaktion auf den Tod. Jetzt gibt es nur noch die nackte Verzweiflung, die glücklichen Augenblicke mit den jungen Freunden werden entzogen, die spiritusbedingte Lebensbejahung vom Anfang ist erkauft mit dem überklaren Bewußsein des letzten Augenblicks. Die sieben jungen Freunde aber laden sich nach Birowskis Tod bei den alten Frauen ein und werden von diesen aufgenommen: „Heruntergekommene Engel! Eine Gesellschaft aus dem Wartesaal." (III 1344) Die totale Verfinsterung (die in der ersten Fassung des Hörspiels nicht vorhanden ist) macht ‚Meine sieben jungen Freunde' zu einer Art Endstation in Eichs Hörspielschaffen.

Die Hörspiel-Neufassungen erscheinen gedruckt erst 1964, im selben Band (‚In anderen Sprachen') wie ‚Man bittet zu läuten'. Dieses neue Hörspiel ist in mancher Beziehung ein Anti-Hörspiel, das nur zu verstehen ist angesichts der Ende der sechziger Jahre einsetzenden Entwicklung vom *Hör*spiel zum schon im Namen programmatischen *Sprech*spiel. „Eine hörspielfeindlichere Reduktion ist kaum denkbar",[43] wurde in Zusammenhang mit ‚Man bittet zu läuten' gesagt. Die Reduktionstendenz zeigt sich im Verzicht auf eine Geschichte, in der Verkürzung der Zeit (in keinem von Eichs Hörspielen läuft so wenig Zeit ab) und in der Beschränkung der Personen und Schauplätze: Das Hörspiel ist, abgesehen von einem Intermezzo, der dreizehnteilige Monolog des Pförtners eines Taubstummenheims;

der Pförtner sitzt die ganze Zeit (von 21 Uhr 45 bis 03 Uhr 30) in der Loge am Eingang, er führt Telephongespräche und spricht mit sich selber oder den heimkehrenden Insassen des Heims. Da die Gesprächspartner am Telephon nicht hörbar, die andern stumm sind, spricht der Pförtner als einziger. Sein Monolog dient der Selbstcharakterisierung. Besser: der Selbsttypisierung; denn Eich zielt nicht auf einen psychologisch, realistisch zu erschließenden Charakter, sondern er setzt einen Typus zusammen. Weit mehr aus soziologischen, politischen, historischen Elementen als aus psychologischen. Der Pförtner ist eher Modell als Person, anonym gleichsam, aber in seiner Anonymität durchaus zu identifizieren.

Der Pförtner hat ein Hobby – er ist Präsident des Pilzvereins – und macht eine Ideologie daraus. Seinen Beruf sieht er als Aufopferung und gedenkt nicht, darin alt zu werden. Die Vorstellung des sozialen, oekonomischen Aufstiegs bestimmt, wieder zu Ideologie verhärtet, sein Handeln und seine Haltung: ,,Einfalt und Demut erst, wenn man oben ist." (III 1352) Er bewirbt sich jetzt schon um die Stelle des Henkers (,,Nur eins ist klar: Sie wird wieder eingeführt. Eine sittliche Pflicht . . .", III 1352) und schreibt Heiratsinserate. (,,Wo sind die Millionärstöchter, neunzehnjährig und proportioniert?" III 1381) Er schmeißt mit Qualifikationen und Urteilen um sich: geistige Mißbildung, Ignoranten, Verlautbarungen für die Guillotine, Idiotie – soviel auf vier Zeilen (III 1361). Und er hat ein sehr einfach zu benützendes Feindbild: Sein Feind ist, wer anders ist als er, also: *nicht* aufbauend, unbeirrbar, daseinsfreudig, durchschnittlich im positiven, im staatsbürgerlichen Sinn, selbstzufrieden. ,,Mir muß man nicht klarmachen, was der Normalpegel bedeutet, Basis, sittliche Forderung, und nach der anderen Seite Anarchie." (III 1361) Diese andere Seite sieht er in den Taubstummen verkörpert: ,,Schweigen ist Dummheit. Oder Atheismus. Die Taubstummen sprechen gegen Gott, deswegen sind sie taubstumm." (III 1351) Aber auch wer Alkoholiker, wer alt ist, wer Kontaktschwierigkeiten hat und an sich leidet, gehört zu den Anarchisten. ,,Das ist alles reif für die Euthanasie." (III 1356) Wer Fragen stellt, ein Träumer ist, die Dichter – sie alle machen sich verdächtig, sind lebensuntüchtig. Er ist autoritär, humorlos und machtbesessen – dabei „natürlich" für die Demokratie: „Natürlich, wir sind ja demokratisch." (III 1373) Er zitiert Hölderlin, im gleichen Augenblick, wie er über eine gegen die Lampe „bumsende Fliege" meditiert und kurz bevor er feststellt: „Und aufs Klosett müßte ich auch dringend. Fragen gehören zum Stuhlgang, gehören in die Kanalisation gespült." (III 1362) Fliege /Hölderlin / Hölderlinverse / Klosett / Stuhlgang – die Erinnerung an das Gedicht ‚Latrine' von 1948 stellt sich ein: stinkender Graben / Fliegen / Kot / Urin, / Hölderlin / Hölderlinzitat. (I 36) Was damals in alarmierender Unvereinbarkeit erschien, tritt im Gerede des Pförtners problemlos zueinander. Seine gewalttätige Sprache hat das alles usurpiert und mit Leichtigkeit ineinander vermengt.

Um die Demonstration solchen Sprechens und dieser Sprache geht es Eich in seinem Hörspiel. Die Sprache des Pförtners ist ein Brei von Klichees, Phrasen, Redewendungen, Schlagwörtern. Sie kommen alle aus ein und demselben Raum: dem Raum des gesunden Menschenverstands, der schweigenden Mehrheit – und damit der Macht. Der Pförtner ist gewalttätig, sadistisch. Hinter der Maske des Spießers und Biedermannes kommt auf Grund seiner Art zu sprechen das wirkliche Gesicht dieses Zeitgenossen zum Vorschein. Dabei ist der Pförtner der Sprache durchaus mächtig. Eich liefert ihm sogar Hölderlin-Verse aus. Aber auch Sätze und Anschauungen, die seine, Eichs, eigene sein könnten: „Wie immer ist die genesis unergiebig, und wie immer darf man es anthropologisch nennen." (III 1361) Das bedeutet: Wer spricht, setzt die Worte und Sätze dem Mißbrauch, der Vergewaltigung und Verdrehung aus, er muß sie, annektiert, kompromittiert und pervertiert von der herrschenden Sprache, wiederhören.

Es gibt nur eine Form des Protests dagegen: die Taubstummheit. Der Pförtner hat sie richtig definiert: als „sprechen gegen" (III 1351). Und es gibt nur eine Zeitspanne, die nicht von der Sprache der Macht okkupiert ist, weil sie nicht aussprechbar ist:

Es ist die Zeit oder eigentlich Nicht-Zeit zwischen vierundzwanzig und null Uhr. Es ist der Augenblick, den zu bezeichnen der Jargon nicht ausreicht, wo es die exakte Gegensprache brauchte, die nur den Taubstummen eigen ist. Zwischen vierundzwanzig und null Uhr rächen sich diejenigen, die nicht sprechen. Der Nicht-Zeit gegenüber wird der Pförtner unsicher, empfindet er Schrecken: „Da ist er, der alte Augenblick, wo die Welt verdächtig wird ... Sie haben noch etwas zwischen vierundzwanzig und null ..." (III 1376) Der Pförtner beendet die Anfechtung resolut: „... jetzt bin ich wieder normal ..." Wenn die letzten Taubstummen ihre Zimmerschlüssel abholen, beherrscht er die Szene wieder. Verletzt, blutend, auf allen Vieren und grunzend wie ein Tier kommt Laurenz nach Hause. Er weist die Hilfe des Pförtners zurück. Macht das Zeichen des Stricks um den Hals.. Droht mit der Faust. Es sind Gesten der Ohnmacht. Aber des Wiederstands, des Nicht-Einverstandenseins. „Die Faust heben! Das könnte euch einfallen" (III 1383), sagt der Pförtner am Schluß des Hörspiels. Er behält das letzte Wort. Die Gegner sind taubstumm. Vielleicht tot: „Man bittet zu läuten" steht in vier Sprachen am protestantischen Friedhof in Rom angeschrieben. Und der Pförtner bezeichnet sich nach dem Augenblick der Angst als „wieder ... reif für Läutwerke an protestantischen Friedhöfen ..." (III 1376)

Zwischen der siebenten und neunten Pförtner-Szene läßt Eich im rätselhaften ‚Intermezzo' (das selber zu deuten er sich listig geweigert hat) „die Stimmen der Pilzfeinde" (III 1365) zu Worte kommen. Die einen gehören in die Vergangenheit. Ihre Gegnerschaft ist unzulänglich, beschränkt sich auf Distanzierung und Indignation – die Pilzzeit des Pförtners wird sich unweigerlich durchsetzen. Die andern gehören in die Zukunft: Titus und Alpha waren einst vor der Pilzzeit geflohen, weil sie nicht einverstanden waren, Antiquariate und Novalis-Autographen liebten. Jetzt kehren sie zurück, aber die Welt ist eine Wüste geworden. Eine Anspielung auf die Atombombe („Wenn der Strahlenpilz in die Kehle wächst?" III 1370) läßt vermuten, daß die Verwüstung den Pilzfreunden, wie der Pförtner sie verkörpert,

zuzuschreiben ist. ,,Wir verstummen jetzt. Fort, fort" (III 1370),
folgern Titus und Alpha.

Die fünf Teile des Intermezzos werden durch barocke Lied-
strophen eingerahmt. Sie geben in penetranter Sicherheit Auskunft über Himmel und Hölle, über das, was gut und böse,
tröstlich und zum Verzweifeln, zu erstreben und zu fürchten ist.
In ihrer Eindeutigkeit und Unbeirrbarkeit stehen sie da als der
falsche Traum von einer noch zu rettenden Welt, während doch
das Intermezzo aufdeckt, daß die Pilzzeit, die Zeit des Pförtners
und seiner Sprache also, nicht aufzuhalten und nicht rückgängig
zu machen ist.

Vieles von dem, was Ende der sechziger Jahre als ,das Neue
Hörspiel' angekündigt wird, ist in ,Man bittet zu läuten' vorweggenommen. Die ,,assoziative Schreibweise" ist souverän
wie später in den ,Maulwürfen'. Die gedanklichen und sprachli-
chen Elemente sind ,,wie Pop-Versatzstücke hart gegeneinan-
dergesetzt". Eich ,,decouvriert in der Sprache die darin ver-
steckte Ideologie" und ,,löst sich von Illusionierung und Sugge-
stion", ,,befreit den gebannt lauschenden Hörer".[44] Eich arbeitet in diesem Hörspiel nicht *mit* Sprache, sondern *in* ihr, er übt
Sprachkritik, auch wenn sie nicht als solche deklariert ist. Es ist
bemerkenswert, wie sehr Eich die seinem Standpunkt adäquate
Sprache wagt. Eine ganz lapidare Sprache, und sie ist etwas
anderes als die einfache oder zurückgenommene Sprache. Lapidar meint unbehauen. Eich übernimmt das vorhandene Sprach-
material, ohne es zu bearbeiten. Die schriftstellerische Aufgabe
besteht in der raffinierten, entlarvenden Auswahl, Montage,
Zusammenstellung. Das hat zur Folge, daß der Sprecher (der
Pförtner also) auf der Sprache zu behaften ist, und nicht wie bei
einer zurückgenommenen, ,bearbeiteten' Sprache der Autor.

Von der Büchner-Rede her betrachtet ist ,Man bittet zu läuten' das extreme Modell des Zustands der Welt, wenn die gelenkte Sprache (hier vom Pförtner gesprochen) sich total durchgesetzt hat. Demjenigen, der die fragende, die politische Sprache, die Sprache der Dichtung spricht, bleiben nur noch Verstummen und Nichtzuhören, allenfalls Gesten der Ohnmacht,

um Gegnerschaft und Widerstand auszudrücken. Die Fragen sind dann in die Kanalisation gespült. Obwohl „natürlich niemand ohne Fragen ist. Aber sie müssen aus der Welt geschafft werden. Nicht durch Antworten, damit haben sie verhältnismäßig wenig zu tun, sondern mit der Peitsche, da denke ich real und realistisch." (III 1361) Die brutale Sachlichkeit der Ausdrucksweise ist nicht zufällig und Einzelerscheinung, sondern Symptom der kommenden Einheitssprache einer gleichgeschalteten Welt.

In Eichs letztem Hörspiel („Zeit und Kartoffeln' von 1971) ist die ätzende Aggressivität abgelöst durch eine abweisende Trauer. Nicht die magisch-eindringliche Trauer der Hörspiele der fünfziger Jahre. Die neue Trauer ist mit Argumenten ausgerüstet, sie rührt her von der Erfahrung der Unvereinbarkeit der Pole, die im Titel bezeichnet sind und die eigentliche Dimension der Welt umschließen. Auf der einen Seite die unlösbaren Fragen, deren Unlösbarkeit peinigt, auf der andern die banale Antwort, in der die Fragen unerträglich reduziert erscheinen, obwohl die Antworten überhaupt nichts mit ihnen zu tun haben. „Ich kann es sagen. Alle deine Worte stammen aus der Kartoffel. Ein Katalysator. Das Raum-Zeit-Kontinuum Kartoffel ist eine Vorstufe. Puffer. Von den Klößen ganz zu schweigen." (III 1392) Die Antwort kompromittiert die Frage ekelhaft, aber der Fragende muß mit ihr vorlieb nehmen. Die Personen und Situationen sind ganz realistisch angelegt. Ottilie studiert in der Stadt Physik, seit acht Jahren. Ihre besorgte Mutter schickt ihr von Zeit zu Zeit Kartoffeln, die sie aufessen muß. Sie wird dick davon („Bauch, Pickel, Häßlichkeit. Ich erwecke Abscheu", III 1390) und kommt vor lauter Kochen und Essen und Kummer nicht mehr zurecht mit ihren Formeln, die beweisen sollen, daß das Licht die fünfte Dimension ist: „. . . einen Kartoffelsack nach dem andern lädt man mir auf meine Schultern. Wie kriege ich die Formel darunter hervor." (III 1391) Die Kartoffeln werden ihr vom Pächter ihrer Mutter gebracht, und weil Ottilie keinen Keller hat, muß er die Säcke zu den Büchern leeren. Nach dem

Tode der Mutter rät er Ottilie, auf dem Land zu bleiben. Sie aber kann ihre Formeln nicht im Stich lassen. Zudem hat sie einen Geliebten, der ihr hilft, die Formel zu finden. Der Geliebte – hier ist die Realität nun aufgebrochen – ist der Klassikerzeitgenosse Johann Gottfried Seume, der 1810 gestorben ist und eine Fußwanderung von Deutschland nach Sizilien unternommen hat. (Eine Zwischenbemerkung: Der Dichter Seume, Bauernsohn, Söldner, Offizier in russischen Diensten, Privatlehrer und Verlagskorrektor, scheint eine Art Gefährte von Eichs letzten Lebensjahren zu sein. Die Gedichte, die er im selben Jahr schreibt wie das letzte Hörspiel, werden unter dem Titel ‚Nach Seumes Papieren‘ veröffentlicht. Daß die Qualität seiner Werke diesen seltsamen Zeitgenossen der Klassiker für Eich interessant gemacht hat, geht aus dem Hörspiel nicht hervor. ,,Was er geschrieben hat, ist leider nur teils, teils‘‘ (III 1389), läßt er Ottilie sagen. Faszinieren konnte er ihn jedoch zweifellos durch sein aus Rahmen und Ordnung fallendes Leben. Und am stärksten für ihn sprach bei Eich wohl die Tatsache, daß er kein Klassiker hat werden wollen und es auch nicht geworden ist.)

Wenn Seume abends vor dem Einschlafen zu ihr kommt, führt Ottilie lange Gespräche mit ihm, klagt ihm ihr kartoffelbedingtes Leid und die Angst, die Formel nicht zu finden. Er tröstet sie zärtlich (,,Mein Swinegel, du bist die Schönste‘‘, III 1390) und macht ihr Mut. Aber eines Tages kommt er nicht mehr. Statt seiner wieder der Bauer, der zwar auch Seume heißt, aber mit Johann Gottfried nichts gemein hat, der die Kartoffel verkörpert wie Gottfried das Licht, und der am Donnerstag Schmerzen hat an seinem Holzbein: ,,Am Schienbein, wo kein Schienbein ist. An der großen Zehe, die es nicht gibt.‘‘ (III 1394) Ottilie fühlt sich angesteckt, auch sie hat plötzlich Schmerzen ,,überall, wo ich nicht bin‘‘. (III 1395) Sie ißt vor Kummer über Gottfrieds Ausbleiben immer mehr Kartoffeln und wird immer dicker. Und eines Tages wundert sie sich nicht mehr, ,,daß Gottfried nicht gekommen war, kein Zettel, keine Zärtlichkeit. Die kann man bloß ertragen, wenn es dunkel ist und man ein Taschentuch darüberdeckt.‘‘ (III 1395) Sie trinkt eine Flasche

Wermut. ,,Als ich die Flasche leergetrunken hatte, taumelte ich ein bißchen, das war angenehm. Ich holte meinen Stuhl und befestigte meine Wäscheleine an einem festen Rohr, das durchs Zimmer lief, dachte flüchtig daran, noch um eine zweite Flasche zu gehen, es hätte noch gereicht. Aber ich fürchtete den Aufenthalt, fürchtete auch, keine vernünftige Schlinge binden zu können, das ist für einen Ungeübten gar nicht einfach. Es war wacklig auf dem Stuhl, aber endlich hatte ich den Hals in der Schlinge und stieß mit dem Fuß den Stuhl weg. Es ging sehr schnell, aber während es mich würgte, fiel mir der Beweis ein und Gottfried sagte zärtlich zu mir: Mein Elementarteilchen." (III 1397) Das einsame, häßliche Sterben, mit kalter Präzision erzählt, und der Hohn, der darin liegt, daß die gesuchte Formel und der ungetreue Seume sich jetzt noch einstellen, sind die eigentliche Antwort auf die Frage nach Zeit und Licht.

In ‚Sabeth‘ ist ,,das, was wir Zeit nennen" (II 387), mit den Begriffen rätselhaft und schrecklich umschrieben worden. Das ist die Einstellung, die Ottilie als ihre frühere bezeichnet: ,,Früher war mir klar: Nur Engel wissen, was Zeit ist." (III 1391) Von der Größe, die die ‚Zeit‘ Sabeths und der Engel ahnen ließ, ist nichts mehr geblieben. Wer nach der Zeit fragt, wird auf die Banalität der Kartoffeln verwiesen, wer sich damit nicht abfinden will, den treibt die Frage in die Verlassenheit und den Selbstmord.

Und dorthin, wo das Hörspiel endet: ,,ein Zimmer mit Fliegengitter, aber gut durchwärmt. Ein durchgesessenes Sofa, ein großer Tisch. Sechs Betten, Stühle, die Tür ist verschlossen. Es gibt Brettspiele und alte Zeitungen, keine Männer, nur sechs Frauen." (III 1397) ,,Wenn es das Paradies ist, so ist es ein ziemlich schäbiges Paradies, und wenn es die Hölle ist, so ist es eine ziemlich harmlose Hölle." Von dem Grauen, das Festianus in der Hölle vorfand, keine Rede mehr. Das Jenseits schließt in seiner Banalität deprimierend fugenlos ans Diesseits an. Falls die beiden nicht überhaupt identisch sind. Die Szene läßt an ein Irrenhaus denken. Der letzte Schauplatz des Hörspiels wäre dann überhaupt ohne metaphysische Dimension, das Ende damit noch härter. Ottilie wäre so auch der Selbstmord nicht gelungen: Es geht weiter wie bisher, ohne Formel, ohne Seume. Ob Paradies, Hölle oder Irrenhaus – die drei Erklärungen brauchen sich übrigens nicht auszuschließen –, Ottilie bekommt an diesem Ort die letzten Antworten. Von den Frauen, die sich hier aufhalten, ordinären Weibern, die sich gegenseitig Hure und alte Drecksau schimpfen. Eine von ihnen hat Ottilies Problem gelöst: ,,Wir sind hier in der fünften Dimension. Bald kommt ein Engel." (III 1398/9) Von Gottfried Seume will sie nichts wissen und verweist Ottilie stattdessen auf Goethes Wahlverwandtschaften; dorthin gehöre sie von ihrem Namen her. Nur die deutsche Klassik ist hier bekannt, das, was wie Seume neben ihr existierte, ist nicht mehr vorhanden. ,,Hier ist alles schon beantwortet ... Wir sind mitten in den Wahlverwandtschaften." (III 1399)

Eichs letztes Hörspiel ist nicht Versöhnung, Harmonisierung; kein schönes ,letztes Wort'. Es stellt zudem wie ,Man bittet zu läuten' beträchtliche Anforderungen an den Hörer. Eich unternimmt nichts mehr, ihn zu gewinnen, einzunehmen. Aus dem Autor der eindringlichen Aufrufe ist einer der Verschlossenheit geworden – ein Weg, der eher länger scheint als die zwanzig Jahre, die er umfaßt.

5. Die Gedichtbände ,Zu den Akten', ,Anlässe und Steingärten' und ,Nach Seumes Papieren'

Zwischen den Lyrikbänden ,Botschaften des Regens' (1955) und ,Zu den Akten' (1964) gibt es auffallend ,lyrikarme' Jahre. Vor allem während und unmittelbar nach der Hörspielkrise, 1958–61, schreibt Eich nicht mehr als sechs Gedichte. Erst 1962 beginnt wieder eine regelmäßige lyrische Produktion.

Die Rezeption des neuen Gedichtbandes beruft sich fast ausschließlich auf die alten. Krispyn stellt gleichbleibende Thematik fest, ,,vor allem und immer wieder die Natur in ihrer vielfältigen Symbolik".[45] Günter Bien sieht ,,... keinen Bruch mit dem bisherigen Werk ... die Vorstellung der ,andern Welt' ist nach wie vor spürbar ...“[46] Diese Tendenz ist legitimiert einerseits durch die Tatsache, daß einige der Gedichte der Sammlung bereits in der zweiten Hälfte der fünfziger Jahre (1957 vor allem) geschrieben wurden, und andererseits durch einzelne Gedichte aus ,Botschaften des Regens', die vorausweisen. Dennoch ist ,Zu den Akten', anders als jeder bisherige Lyrikband gegenüber dem vorausgehenden, eher unter dem Stichwort des Bruchs als demjenigen der Weiterentwicklung zu betrachten. Es läßt sich am Gedicht ,Gärtnerei' (I 109) zeigen, das unter dem Titel ,Blick auf die Gärtnerei' (I 247) bereits 1950 geschrieben, aber in dieser Fassung erst in den Gesammelten Werken veröffentlicht wurde.

A: Blick auf die Gärtnerei

Vorm Fenster hör ich fragen,
welche Zeit es sei.
Dann biegt der Lieferwagen
durchs Tor der Gärtnerei.

Zugleich der Blick auf Rasen,
Glashaus und Nelkenbeet,
bis dort, wo an der Hecke
der Wasserstrahl sich dreht.

Beisammen sind die Zeichen,
atemlos erkannt.
Es wird geschehn. Die Spuren
gehen voraus im Sand.

Mit mir gemeinsam warten
der Grund der Gärtnerei
und in der Luft die Frage,
welche Zeit es sei.

B: Gärtnerei

Beisammen sind die Zeichen:
zerstäubendes Wasser lautlos,
der Lieferwagen,
vorm Fenster die Stimme,
die nach der Zeit fragt.

Vergebens sagst du,
daß es halb vier sei.
In den Schleiern
Dreht die Frage sich fort,
fährt durch das Tor
in Töpfen aus Ton,
blau, rosa und rot
durch das taube Ohr.

Du bist am Ort.

In einer schönen und genauen Analyse der zweiten Fassung
gelangt Horst Ohde zum Resultat (das er im Gegensatz zu den
meisten andern jedoch nicht für den Band überhaupt gelten
lassen will), daß Eich in diesem Gedicht noch „in der Tradition
der Sprachmystiker" stehe, daß es noch ein Zeugnis der poetischen Schreibweise sei und daß die „noch magische Sprachset-
zung" es als einen „interessanten Spätling"[47] ausweise. Ohdes –
belegbares – Resultat spiegelt zu wenig, daß ‚Gärtnerei' (wie der
ganze Gedichtband ‚Zu den Akten') zugleich einen radikalen
Neuansatz, auch gegenüber ‚Botschaften des Regens', darstellt.

Vorweg ist gewiß die Feststellung zu machen, daß Fassung B
ein *besseres* Gedicht ist. Sie verzichtet auf die naheliegenden
Elemente des Gärtnerei-Motivs (Treibhaus, Nelkenbeet), sie
merzt Klischees aus (Spuren im Sand). Sie malt nicht naturali-
stisch aus (letzte Verse von Strophe zwei), sondern erfaßt in
einer scharfen Momentaufnahme (zerstäubendes Wasser). Ein

verschwommen geheimnisvoller Vers wie ,,Es wird geschehn'' ist in B undenkbar. Die laute, emotionale Dramatik (atemlos erkannt) ist zurückgenommen, ersetzt durch Dramatik, die von der Situation abgeleitet ist (zerstäubendes Wasser lautlos) und in Form umgesetzt wird (Nachstellung des Wortes lautlos). B ist aber nicht nur besser, sondern durch den Verzicht auf episch-erzählende Wörter (dann / zugleich / bis dort, wo) auch *lyrischer* als A, trotz Reim, Geschlossenheit der Strophen und rhythmischer Melodik in dieser Fassung.

Ein grundsätzlich neues Gedicht trotz der vielen übernommenen Elemente wird B durch die Stellung des Verses ,,Beisammen sind die Zeichen'' und durch den Schlußvers. Jener leitet in A die Auswertung der in den ersten beiden Strophen gesammelten Eindrücke ein. In B erscheint die Auswertung zu Beginn des Gedichts, erklärt dieses so von vornherein zur Reflexion. Die Gärtnerei-Elemente in der ersten Strophe sind knappe, unpoetische Illustrationen der Reflexion und sie sind von ihr aus entscheidend verändert. Schon im zweiten Vers ,,zerstäubendes Wasser lautlos'' äußert sich eine drohende Dynamik anstelle der Statik, wie die betuliche Beschreibung in A sie ergibt. Das Moment des Bedrohlichen und Dynamischen wird aufgenommen im Schlußbild der zweiten Strophe (ab ,,In den Schleiern ...''), wo die ,,Töpfe aus Ton'' in einen auch rhythmisch unterstrichenen Farbwirbel geraten und die Gegenstände wie aufgelöst erscheinen. Die alte Eich-Frage nach der Zeit erweist sich nicht nur als eine vergebliche, sondern als eine, die die sichtbare, gegenständliche Welt in ein gefährliches Rotieren und in die Nähe der Auflösung geraten läßt. In diesen gefährlichen Augenblick fällt der Vers: ,,Du bist am Ort.'' Es ist ein Ort, der im selben Augenblick zerstört wird, wo einer dahin kommt. Die Zeichen selbst haben die gegenständliche, benennbare, zeitlich bestimmbare Welt, aus der sie kommen, aufgehoben. Ihre mystische Funktion, in der Vézelay-Äußerung als Übersetzung eines verlorenen Urtextes definiert, ist ad absurdum geführt, das Übersetzen ein zerstörerischer Akt. Damit markiert sogar dieses weit zurückreichende Gedicht viel entschiedener den neuen

Standpunkt Eichs als den sprachmystischen, der die „Botschaften des Regens' noch bestimmte.

In andern Gedichten entlarvt wie im gleichzeitigen Hörspiel ‚Man bittet zu läuten' die Sprache eine Mentalität und Ideologie. ‚Munch, Konsul Sandberg' (I 112) ist ein Beispiel.

> Die Möglichkeit,
> daß die Welt aus Farben besteht,
> erfüllt mich mit Verachtung.
> Ich hätte das Eis dazu erfunden
> und die Hitzegrade,
> in denen Metalle verdampfen.
> Sieh mich doch an:
> Ich bleibe auf deiner Leinwand,
> ein Albtraum von Zuversicht,
> Erfolg in Hosenbeinen
> und spitzen Stiefeln,
> die Komödien des Todes
> werden gespielt für mein Gelächter.
> In meinem Mund
> halt ich den Speichel bereit
> für eure Hoffnung.

Munchs Bild ist für Eich nicht Anlaß zu ästhetischen Überlegungen. Er bringt vielmehr Munchs Modell ins Gespräch mit dem Maler, der wie die Taubstummen in ‚Man bittet zu läuten' der Verachtung und Gewalttätigkeit ausgesetzt ist. Der Konsul spricht die Sprache der Macht, die auf alles Antworten gibt, er ist, wie der Pförtner im Hörspiel, der Vertreter einer Mentalität, die Leben und Tod gleichermaßen in den Griff bekommt. Dieser Mentalität gegenüber haben Maler und Schriftsteller nur noch eine Möglichkeit: sie genau abzubilden, sie *sich aussprechen zu lassen*.

Albträume der Zuversicht wie den Konsul Sandberg gibt es auch in anderen Gedichten der Sammlung. Zwei davon widmet Eich – nicht zufällig vielleicht – andern Autoren: Als wären sie

114

eine Art Versuch, Solidarität herzustellen. In ‚Wildwechsel‘ (I 116), einem Gedicht für Nelly Sachs, verkörpern die Jäger solche Zuversicht: „Sie kennen die Welt von Anfang her / und zweifeln nicht an den Wäldern. / Zu ihren Antworten nickt man, / und der Rauch ihres Feuers hat recht, / und geübt sind sie, / den Schrei nicht zu hören, / der die Ordnungen aufhebt.“ Frage und Antwort für Peter Huchel (‚Nicht geführte Gespräche‘, I 104) lauten: „Was sollen wir denen sagen, / die einverstanden sind / und die Urtexte lesen? ... Vor soviel Zuversicht / bleibt unsre Trauer windig ...“ Eine Zeit, die von den Zuversichtlichen, Sicheren, denen ohne Zweifel annektiert wird, ist im Grunde eine Endzeit der Dichtung. Schreiben ist zwar ein Zeichen des Unglaubens und ein Akt des Widerstands, aber es ist aussichtslos und der Situation umso angepaßter, je mehr es sich dem Schweigen nähert, dem zornigen Schweigen der Taubstummen in ‚Man bittet zu läuten‘. Diese Einsicht ist zentral in den Gedichten von ‚Zu den Akten‘. „Mach die Augen zu, / was du dann siehst, gehört dir.“ (‚Die Herkunft der Wahrheit‘, I 104) „Wir hängen die Bettücher auf die Balkone / und ergeben uns.“ (‚Zu spät für Bescheidenheit‘, I 115) „Nun ist alles besprochen“ (‚Gespräche mit Clemens‘, I 122). Die Gedichte werden asozial. Der Autor appelliert kaum noch an den Leser, er schließt sich ab: „Ich verrate, was niemand wissen will“ (‚Jacques Devant, für viele‘, I 119); „Niemand kommt, / niemand verläßt uns.“ (‚Aufgelassenes Zollamt‘, I 121)

Die paradoxe Erfahrung, daß Schreiben Widerstand ist, der radikalere Widerstand aber das Verstummen wäre, bestimmt Form und Sprache der Gedichte. Sie zeigen eine Neigung zum Prosaischen. Das bedeutet nicht unkontrollierte Form. Die Verse sind genau so bewußt gesetzt, der Rhythmus hat seine Funktion behalten. „Die Asphaltierung ist / geplant wie das Sterben.“ (‚Alte Postkarten 2, I 107) Der Satzbau wäre in Prosa derselbe. Aber die Aufteilung in Verse hebt den zweiten scharf ab, er bekommt zusätzliches Gewicht, das der Aussage entspricht und unterstrichen wird durch rhythmische Elemente: Der erste, iambische, Vers ist rhythmisch starr, in diese Starrheit einbezogen ist sinnvoll noch das „geplant" des nächsten Verses, aber dann erfolgt die Auflösung in dem leichten, fast tänzerischen „wie das Sterben", und Auflösung und Leichtigkeit sprechen zweifellos der Aussage Hohn. Aber – obwohl also aus einem genauen Formbewußtsein kommend – das Prosaische in Gedichten ist eine Methode der Entzauberung, es entzieht das Poetische im gewohnten Sinn und macht unattraktiver. Die andere Erkenntnis, daß Schweigen die radikale Konsequenz wäre, wirkt sich aus als Reduktion. Auch in ihr liegt ein asoziales Element von Eichs neuer Lyrik, und zugleich ist sie logische Folge des Hangs zum Verstummen. Die Reduktion geht über die als ‚Alte' und ‚Neue Postkarten' bezeichneten Kurzgedichte bis hin zu den ‚17 Formeln', die erst ganz kurz vor dem Schweigen haltmachen, freilich zugleich demonstrieren, welches Ausmaß an Erfahrung und Information es enthalten kann: „Dir, Scott, der zu spät kam." (I 132) Eich läßt auch außerhalb solcher Extremstufen der Reduktion alles weg, was in die Nähe von Antwort und Lösung führen könnte. Er verwehrt dem Leser so letztlich das, was er sich selber verwehrt: das Einverständnis nämlich, und stellt ihm auch dieselbe Aufgabe wie sich selber: das Verständnis. Es ist nur dann akzeptabel, wenn es nicht leicht gemacht ist, nicht automatisch zustande kommt.

Für den, der um ein solches Verständnis bemüht ist, gibt es in ‚Zu den Akten' genug zu verstehen. „Sichtbar und hinter / Milchglasscheiben / eine leise Veränderung, / niemand bemerkt sie / in seinen Entwürfen. / Das Licht geht an / beim Druck auf den Schalter." (‚Sommerfrische', I 123) „Einmal betroffen / von der Harmonie / im Gang der Gestirne, / überhörst du den Seufzer derer, / die Hungers sterben." (‚Tauerntunnel', I 115) Das sind unverstellt mitgeteilte und nachvollziehbare Erfahrungen, die Sensibilität, die aus ihnen spricht, ist nicht poetischprivat.

Die wesentlichen und neuen Merkmale von ‚Zu den Akten' sind in ‚Anlässe und Steingärten', der Lyriksammlung von 1966, konsequent weiterentwickelt. Das läßt sich verfolgen an den vier Fassungen des Gedichts ‚Air' (I 162). Die ersten beiden sind am 10. 12. 1963 geschrieben, der Titel ist ‚Finnair' (A 1 u. A 2, I 267/8). Zwei Jahre später (am 22. 11. 1965) nimmt sich Eich das Gedicht nochmals vor (B, I 268), und am 27. 1. 1966 entsteht dann die endgültige Fassung (C).

A 1

Die Vermutung, daß im Holz eine Verzweiflung sei,
und nasse Flugzeuge
und die Frage, wohin du willst.

Wie ungeduldig müssen sie warten.
Eine Stewardess
wird
alle Verspätungen erklären.
Mit gelben Händen
hat sie die Plätze markiert.

A 2

Nasse Flugzeuge.
Könnte man den Tragflächen
Verzweiflung zuschreiben
wie allenfalls den Kiefern,
so leicht ginge alles auf:

Die Stimme der Stewardess,
die gelben Hände,
mit denen die Sitze markiert werden,
die Ungeduld der Wartenden,
die Treppe, die weggerollt wird
von nassen Flugzeugen.

B

Nasse Flugzeuge –
man muß länger warten,
als die Reise dauert.
Die Kinder schlafen auf den Koffern ein.

Nasse Flugzeuge.
Belegte Plätze von gelben
Papphänden markiert. Handschuhen.
Vielleicht hätte der Unterschied
etwas bedeutet.

Nasse Flugzeuge.
Ach, lieber Nebel
über den Ålands-Inseln,
ach, liebe Stewardess,
die uns freundlich das Ziel ansagt,
dreißig Sekunden vorher.

C

Wir haben uns eingerichtet
unwohnlich
in dem Augenblick,
wo die Kiefern uns streiften.
Die Zahlen kennen uns,
wir leben von Horn und Findlingen,
wir geben nicht nach,

Gelbe Hände
gegen den Regen gesetzt,
Tee gegen die Flugschneise,
ein Wort ist länger als zehn.

Wenn der Winter kommt,
ritzen wir mit unsern Messern
ein Zeitwort ins Weiße.
Eine verlegene Übung,
wir wissen nicht, wie ihrs aufnehmt,
ob ihr es aufnehmen wollt
von uns Holzkindern
jenseits der Ålandsinseln,
wir brannten.

A 2 verstärkt gegenüber A 1 die Vorstellung Flugzeug (Tragfläche/Schlußverse). Auch die Reflexion wird ausführlicher – der erste Vers von A 1 ergibt in A 2 vier Verse. Umgekehrt sind die beiden Aussagen weggelassen, die am meisten ‚Stimmung' enthalten und am stärksten zur Interpretation verlocken („die Frage, wohin du willst" / „wird alle Verspätungen erklären"). Die zweite Fassung wird dadurch bereits unzugänglicher. B korrigiert diese Tendenz, Stimmung und Einstimmung werden wieder wichtiger (erste Strophe); der Refrain („Nasse Flugzeuge") setzt einen unbegründeten Akzent, auch das Motiv der gelben Hände bekommt ein störendes Eigenleben. Entscheidend verändert ist B in der Schlußstrophe, mit der naiven Ironie („ach, liebe …") und der Pointe (Schlußvers): Das Gedicht schlägt hier um, bricht zugleich auseinander.

In der Endfassung ist nur ein Element beibehalten, das in allen Vorstufen vorhanden ist, das der „gelben Hände". Sie sind „gegen den Regen gesetzt", mit dem Regen ist das ebenfalls in allen Vorstufen verwendete „nasse Flugzeuge" aufgenommen. Aber – und das ist bezeichnend – das Motiv Flugzeug ist unkenntlich gemacht. Es ist nur noch dem dritten Vers der zweiten Strophe zu entnehmen, allenfalls noch aus dem Titel zu erschließen. Statt der vorher ausgemalten, jetzt nur noch gestreiften Vorstellung Flug/Flugzeug treten die Fragen und Reflexionen, die sie provoziert, ins Zentrum. Das Gedicht ist in der Schlußfassung Abstraktion. Es hat seinen Ausgangspunkt, seine *Anlässe* hinter sich gelassen. Der Leser ist von ihnen weggesteuert worden. Das Gedicht ist dadurch schwieriger, komplexer geworden. Aber es provoziert, ‚engagiert‘ ungleich stärker, als sein konkreter Ausgangspunkt es vermöchte. Der Leser ist allein gelassen, aber dadurch mit dem Autor ernsthafter konfrontiert, als wenn dieser ihn miterleben ließe, ihn ‚anzustecken‘ versuchte mit seinem Erlebnis.

Engagement, Provokation, Konfrontation – die Begriffe zeigen, daß Abstraktion nicht apolitische Haltung bedeutet. Davon ist auszugehen bei einer Charakterisierung der Sammlung ‚Anlässe und Steingärten‘. Ihre eigentliche Dimension und Spannung ist bereits im Titel angelegt. *Anlässe,* das was Eichs Gedichte auslöst, sind die privaten und gesellschaftlichen Erfahrungen und Beobachtungen eines hellhörigen, betroffenen Zeitgenossen. *Steingärten* (vgl. S. 35 f.), das meint die Endstationen der Verarbeitung dieser Erfahrungen, den Punkt, wo sie zu Meditationen geworden sind. Meditation hat Eich bereits als Schlüsselwort der Sammlung ‚Zu den Akten‘ bezeichnet (vgl. I 412). Es erscheint jetzt im Gedicht ‚Weniger‘ (I 153), dessen erste Strophen lauten: ,,Weniger Ziele / und kleiner, / reiskorngroß. / Nicht aufwendig, /das meiste in Meditationen.“ Die Verse lassen erkennen, wie leise und konzentriert der Meditationscharakter die Gedichte werden läßt. Das schließt Härte und Schärfe nicht aus. ,,Wir haben den Tod nicht erfunden, / aber er ist brauchbar.“ (‚Halali‘, I 160) Die kalte Bitterkeit, ohne Aufwand und Lautstärke, aber aggressiv formuliert, ist für viele Gedichte des Bandes charakteristisch. Manche sind auch direkter: ,,Die Sonne bauernschlau / und ein Gelände / gut für Manöverschäden, / hier trifft sich die / Fünfuhrlage, / hier wird der Nachschub / von Gliedmaßen und Gedärm / besprochen …“ (‚Nachträge zu Clausewitz‘, I 141) Und die beiden ungewöhnlich langen Schlußgedichte ‚Geometrischer Ort‘ (I 168) und ‚Ryonaji‘ (I 169) sind unerbittliche, alles andere als weltabgewandte Abrechnungen mit der Jetztzeit. Jenes beginnt mit den Versen: ,,Wir haben unsern Schatten verkauft, / er hängt an einer Mauer von Hiroshima“; dieses endet in Widerborstigkeit und empfiehlt, im Bewußtsein des Scheiterns, die Anarchie: ,,Wir siedeln uns nicht mehr an, / wir lehren unsere Töchter und Söhne die Igelwörter / und halten auf Unordnung, / unseren Freunden mißlingt die Welt."

Die eigentlich neue Dimension von ‚Anlässe und Steingärten‘, in ‚Zu den Akten‘ nur ansatzweise vorhanden, ist der zerstörerische Witz, ‚‚dieses Gelächter voll Hohn, / das nicht in die Welt paßt / und gegen alle Verabredung ist". (I 197)[48] Eine Welt, die nicht mehr zu ändern ist, wird darin der Lächerlichkeit preisgegeben. ‚‚Mein Freund Pfeffer / hat Sturm gesät ..." beginnt, einen Bibelspruch aufnehmend, das Gedicht ‚Pfeffers Ernte‘ (I 139), und es endet mit den Versen: ‚‚... mein Freund Pfeffer / hat Windstille geerntet, / Wiedersehn!" Die großen Worte und die großen Ansprüche zerfallen nicht nur in der Umschreibung der Ernte (Windstille), sondern vor allem in dem lässigen Hohn des ‚‚Wiedersehn!", das einer ausspricht, der sich nichts mehr vormachen läßt. Auch die neuen Heilslehren nicht: ‚‚Laotse begegnete mir / früher als Marx. / Aber eine gesellschaftliche Hieroglyphe / erreichte mich im linken Augenblick, / der rechte war schon vorbei." (‚Verspätung‘, I 165) Die Ideologien haben anzutreten gegen einen präzisen, zersetzenden Spott, Eichs Methode, Ungläubigkeit zu formulieren. Sich selbst nimmt er nicht aus. Er beginnt, sich darauf einzurichten, für unzeitgemäß gehalten zu werden: ‚‚In Saloniki / weiß ich einen, der mich liest, / und in Bad Nauheim. / Das sind schon zwei." (‚Zuversicht‘, I 166)

In Eichs letztem Gedichtband, ‚Nach Seumes Papieren‘ (1972), scheint der Witz verbraucht. Wo es ihn noch gibt, ist er gebrochen. Die zehn Gedichte des Bandes (und die meisten der nicht in die Sammlung aufgenommenen aus den Jahren 1971/2) sprechen von Abschied und Sterben. Selten expressis verbis; am schärfsten in ‚Freund und Horazleser‘ (I 201, nicht in die Sammlung aufgenommen):

Sag mir nicht wieder: Horaz
und sterben lernen.
Keiner hat es gelernt,

es fiel sie nur an
wie die Geburt.

Das Titelgedicht der Sammlung schließt mit den Versen: „...
ein Reisesouvenir / und Erleichterung / des gichtigen Sterbens.“
(I 176) In ‚Stadtrand‘ heißt es grimmig und lakonisch: „... nach
zehn / Stille im Sarg.“ (I 173)

Häufiger jedoch sind Abschied und Sterben nicht in Worte
gefaßt, machen vielmehr die verborgene Topographie der Emp-
findungen aus. „Er weiß es nicht, / wußte es nicht, / wird es
nicht wissen.“ (‚Nach dem Ende der Biographie‘, I 174) „Das
Licht soll schnell sein, / aber es erreicht mich nicht“ (‚Augs-
burg‘, I 176) „Jemand mit a spricht / auf mich ein, / eine Art
Händedruck, / den ich nicht erwidere, / ein Schluck Wein /
eingetrocknet ...“ (‚Namen‘, I 175) „Erfahrungen abdrehen
...“ (‚Später‘, I 177). In all diesen Versen ist, in einer unwahr-
scheinlich transparenten, undramatischen Sprache, eine neue
und endgültige Erfahrung mitgeteilt. Sie muß in totaler Verlassenheit gemacht werden: „... nach einiger Zeit / hört mir niemand mehr zu ...“ (‚Äpfel‘, I 286) Sie schärft Blick und Ausdruck. Noch nie ist Eich derart nahe an die Konturen der Existenz herangegangen, so daß sie weh zu tun beginnen:

Optik

Wenn das Auge schlechter wird,
geht man näher heran,
um die Freunde zu erkennen.

Setzt eine Brille auf,
benutzt Kontaktgläser
und bemerkt

ganz nahe
das Schwarze
unterm Fingernagel des Feindes. (I 174)

Eine furchtbare Verletzlichkeit spricht aus Eichs letzten Gedichten, auch aus denen, die noch einmal den Witz versuchen: „Jedenfalls / für die Silvesternacht / 1999 / bin ich verabredet. / Weiter im Gebirge, auf / einem Kanapee, / freue mich, man hat / wenig Abwechslung." (‚Später‘, I 176) Das Kanapee im Gebirge in der Silvesternacht – dieses Bild aus dem letzten Gedicht der Sammlung ‚Nach Seumes Papieren‘ offenbart eine wahnwitzige Verlassenheit, der Humor ist alles andere als heiter oder tröstlich, die Souveränität ist nur eine künstlerische, die in diametralem Gegensatz steht zur menschlichen Hilflosigkeit.

Künstlerisch-menschlich: Das kennzeichnet die Polarisierung des Existentiellen, die in diesen Gedichten zum Ausdruck kommt. Zum letzten Mal passiert in ihnen die Auflehnung, wird das Einverständnis verweigert (das Alter, Lage, Überlieferung als gegeben erscheinen ließen) – aber am Tod, dem die Weigerung gilt, ist sie verschwendet. Diese Einsicht bewirkt die Lautlosigkeit von Eichs letzten Gedichten, die wahrscheinlich seine verschlossensten sind, aber zugleich demonstrieren, daß verschlossen nicht verschlüsselt ist. Es kann keine Rede sein von einer Geheimsprache (wie etwa in Celans letzten Gedichten, ‚Lichtzwang‘). Die verschlossene Sprache ist bloß (noch einmal und verstärkt) eine private Sprache, die der privaten Erfahrung entspricht. Sie verlangt den privaten Leser, einen, der nicht abgelenkt ist. Den universalen Leser eigentlich, wenn das Wort ‚universal‘ sowohl in seiner üblichen Bedeutung (‚allgemein‘, ‚die ganze Welt umfassend‘) als auch seiner ursprünglichen, wörtlichen (‚auf das Eine gerichtet‘) verstanden ist.

6. Die Entwicklung von Eichs Lyrik und Theorien zur Lyrik

1957 entwirft Eich einen Aufsatz über seinen im Weltkrieg gefallenen Freund Martin Raschke. Es bleibt beim Entwurf, bei unzusammenhängenden Notizen. Dafür entsteht im selben Jahr ein Gedichtzyklus, der unter dem Titel ‚Fortsetzung des Gesprächs‘ (I 147 ff.) in die Sammlung ‚Anlässe und Steingärten‘

aufgenommen ist und Motive, sowie – teils wörtlich – Stellen aus dem Aufsatzentwurf enthält. Eich hatte dort das Gedicht „vorausgesehen": „Die Begegnungen verschwimmen mir, überschneiden sich, verlieren ihre zeitliche Abfolge. Sie verlangen als Gedicht neu präzisiert zu werden. Es ist einer der Fälle, wo ich ein Gedicht voraussehe." (IV 301) Eich könnte statt ‚Gedicht' nicht ‚Erzählung' oder ‚Hörspiel' sagen. Präzisierung ist ein Stichwort, das der Lyrik vorbehalten ist. Das heißt gewiß nicht, daß in den andern Gattungen nicht präzis geschrieben wird. Aber das Gedicht ist mehr als präzis, es ist von vornherein Präzisierung. 1956 hat Eich in Vézelay Gedichte „Definitionen' (IV 442) genannt.

Definieren und präzisieren ist die Methode, Wirklichkeit „herzustellen" (z. B. diejenige einer Person, einer Vergangenheit). Lyrik hat damit, wie die Literatur allgemein, eine bewahrende, ‚konservative' Funktion (vgl. Büchner-Rede, IV 452 oben). Sie hat die Sprache zu bewahren, die sich der Lenkung entzieht. Lyrik ist für Eich insofern zweifellos die exemplarische literarische Gattung, als im Gedicht das Stilprinzip des Auswählens, Ausscheidens, der Reduktion besonders wirksam sein muß. („Jedes Gedicht *ist* zu lang", notiert er 1965; IV 307.)

Soweit es sie gibt, deckt sich Eichs lyrische Theorie während der fünfundvierzig Jahre, da er Gedichte schreibt, mit seiner lyrischen Praxis. „Es ist in der gegenwärtigen deutschen Lyrik ein seltenes Ereignis geworden, daß die Poesie eines Dichters so einig ist mit ihrer Poetik",[49] schreibt Wulf Segebrecht. Das schließt mit ein, daß die Poetik sich im gleichen Maße wandelt wie die Gedichte.

1932 hat Eich „die Wandlungen des Ichs" als „das Problem des Lyrikers" (IV 389) bezeichnet. Für sich allein genommen, kann die Aussage für das gesamte lyrische Werk Eichs gelten. Die Konsequenzen aber, die er 1932 daraus zog, gelten in der Folge nicht mehr. Damals hat er gefordert: „Das wird im Formalen zur Folge haben, daß er (der Lyriker) im Allgemeinen Vokabeln vermeidet, die ein zeitgebundenes, also ihn nicht direkt interessierendes Problem in sich schließen." Spätestens ab

1955 („Botschaften des Regens') ist das Interesse für zeitgebundene Probleme nicht mehr unvereinbar mit Lyrik, und ab 1964 („Zu den Akten') ist es Voraussetzung für sie. Das zeitgebundene Vokabular ist von da an bestimmend. Und wenn 1932 die Lyrik sich formal nicht zu ihrer Zeit bekennen sollte („denn wir wissen gar nicht, welche Denk- oder Lebenssysteme unsere Zeit universal repräsentieren", IV 388), so gilt jetzt das Gegenteil: Die Gedichte sollen die Aufsplitterung der Gegenwart, „die Atomisierung" einer allgemeinen Weltanschauung zu- und wiedergeben. Das lyrische Ich ist mitten in diesen Atomisierungsprozess gestellt und dem Vokabular ausgesetzt, das er zur Folge hat. „Lyrik ist gegenwärtige Lyrik" (IV 307), heißt es 1965 in der bereits zitierten Notiz, die ansatzweise schon die der Pop-Bewegung entstammende These vom Wegwerf-Charakter von Gedichten enthält: „Gedichte leben und müssen sterben. Auferstehungen sind selten. Kein Gedicht wird durch den Tod entehrt."

Nach der Sprachtheorie, wie Eich sie 1959 in der Büchner-Rede entwickelt, ist seine Lyrik nach 1959 politisch. Und zwar im Sinne Enzensbergers, für den der politische Auftrag der Gedichte darin besteht, „sich jedem politischen Auftrag zu verweigern …"[50] Die stilistisch, formal völlig anderen Gedichte eines Exponenten der politischen Lyrik und die Gedichte Eichs gleichen sich in der grundsätzlichen Tendenz der Weigerung. Der Polit-Lyriker Erich Fried, der in denselben Jahren wie Eich, 1964 und 1966, Gedichtbände veröffentlicht (1966 die Vietnam-Gedichte), weist denn auch mit Nachdruck auf die politische Grundkomponente von Eichs Lyrik: „Es ist kein Zufall, daß heute in Deutschland junge Studenten, die gegen den Krieg in Vietnam, gegen die Bomben in Hanoi protestieren, in Günter Eichs Versen, die sie zitieren, die Aussprüche eines Verbündeten sehen … Und deshalb war ich auch gar nicht erstaunt …, daß ich von dem angeblich so unpolitischen und abseits stehenden Lyriker Eich vor kurzem ein so engagiertes und in der Bundesrepublik ebenso bitter nötiges wie bitteres Gedicht fand, wie die Verse ‚Seminar für Hinterbliebene'."[51]

1968 hat Eich einige Punkte seines Lyrik-Verständnisses formuliert, ausgehend von der für ihn typischen Bemerkung, daß es keine „allgemeinen Gesetze" gebe, daß „jedes neue Gedicht die Theorie verändert". (IV 413) *Seine* Ansätze einer Poetik will er als „eine private Wunschliste, weiter nichts" verstanden wissen: „Das und so möchte ich schreiben: Gedichte ohne die Dimension Zeit / Gedichte, die schön sind ohne Schönheit zu enthalten / Gedichte, in denen man sich zugleich ausdrückt und verbirgt / Unweise Gedichte / Direkte Gedichte." Bezeichnend jene Punkte, die in einem *Entwurf* dieser Liste figurieren, in der endgültigen Fassung aber eliminiert sind: „Politische Gedichte, die trotzdem gut sind. / Direkte Gedichte, die trotzdem gut sind." (IV 473) Direktheit, wenn sie die übrigen Punkte einschließt, ist zu dieser Zeit für Eich ein Beweis für Qualität, nicht ‚Qualität trotzdem'. Das gilt auch für den Begriff des Politischen, der sich überhaupt erübrigt, weil die Berücksichtigung der sechs Punkte ohnehin politische Gedichte ergibt. Das macht im übrigen der Schlußabschnitt der „Wunschliste" klar: „Lyrik ist überflüssig, unnütz, wirkungslos. Das legitimiert sie in einer utilitaristischen Welt. Lyrik spricht nicht die Sprache der Macht, – das ist ihr verborgener Sprengstoff." Gedichte vertreten eine Gegen-Welt, ihre Sprache ist Gegen-Sprache. Damit nehmen Eichs theoretische Äußerungen zur Lyrik genau die Überlegungen der Büchner-Rede auf. Die Forderungen, die er 1959 für die Sprache der Dichtung im allgemeinen aufgestellt hat, formuliert er 1968 für die Lyrik im besonderen, und er hat sie in den Gedichten dazwischen verwirklicht.

Es sind jedoch nicht diese Gedichte, auf denen Eichs Ruhm als Lyriker basiert, obwohl sie in ihrer Epoche als wegweisender anzusehen sind als die Sammlungen ‚Abgelegene Gehöfte' und ‚Botschaften des Regens' in der ihren. Diese beiden aber haben nicht nur Eich in den fünfziger Jahren als Lyriker etabliert (von der Qualität her zu Recht), sondern sie stehen bis heute im Zentrum der Diskussion über Eichs Lyrik. Albrecht Zimmermann sieht 1965 in den beiden Bänden den Schwerpunkt von Eichs Lyrik, „weil wir in ihnen die wichtigste stilistische Entwicklungsphase vermuten".[52] Walter Helmut Fritz „empfindet" 1971 als „Höhepunkt (von Eichs) Lyrik … noch immer – neben den ‚Abgelegenen Gehöften‘ – die ‚Botschaften des Regens‘."[53]

Der gleichsam gebannte Blick auf diese viel diskutierten Gedichtbände hat denjenigen auf die späteren vielfach verstellt. Das schließt zwar eine respektvolle Würdigung nicht aus. Aber es verlockt dazu, eine geradlinige Entwicklung in Eichs Lyrik hinein zu konstruieren. „Eichs … Entwicklung, die eine Spanne von über vierzig Jahren umfaßt, kennt keine Sprünge",[54] findet Karl Krolow 1973. Von den größeren Arbeiten über Eichs Lyrik hat einzig diejenige von Susanne Müller-Hanpft nachdrücklich hervorgehoben, in welchem Ausmaß Eich ab 1964 neue Wege einschlägt und mit den früheren in mancher Hinsicht geradezu bricht. Susanne Müller-Hanpft begreift nicht bloß Eichs Gedichte aus den dreißiger Jahren als „Anachronismus in ihrer Zeit",[55] sondern sie vertritt darüber hinaus die radikale Ansicht, daß auch ‚Abgelegene Gehöfte‘ und ‚Botschaften des Regens‘ (wie die gleichzeitige lyrische Produktion von Eichs Zeitgenossen) von den späten Gedichten aus „im Nachhinein als ‚zu spät‘, als ‚nachgeboren‘, als ‚postexistent‘ erscheinen"[55] müssen.

Die drei letzten Gedichtbände sind in der Tat Eichs eigenständigste und unverwechselbarste. Sie zeigen ihn endgültig frei von zeit- (Kahlschlag) oder traditionsbedingten (Naturlyrik; nach dem Krieg auch Benn) Theorien. Die Entfernung zwischen dem „ehemaligen Dichter" und dem Autor der ‚Maulwürfe‘, die Heinrich Vormweg für so „ungeheuer groß" erachtet, „daß sie mit dem Begriff der Entwicklung nicht mehr (zu) überbrücken"[56] sei, war nicht erst beim Erscheinen der ‚Maulwürfe‘, sondern seit der Lyriksammlung ‚Zu den Akten‘ festzustellen.

7. Die Maulwürfe

„Es hat den Anschein, als müsse man Eich neu lesen",[57] schrieb der Schriftsteller Günter Guben 1971. Zu dieser Feststellung sind angesichts der ‚Maulwürfe‘ von 1968 und 1970 viele Eich-Leser gelangt. Die Lese-Rezepte sind zahlreich. Zwei Möglich-keiten, die ‚Maulwürfe‘ zu lesen, die ‚gelehrte‘ und die ‚unwissende‘ sollen ausprobiert werden am ‚Maulwurf‘ ‚Späne‘ (I 317):

> Wäre ich kein negativer Schriftsteller, möchte ich ein negativer Tischler sein. Die Arbeit ist nicht weniger geworden, seitdem der liebe Valentin den Hobel hingelegt hat. Staatsmänner haben ihn übernommen. Aber es lebe die Anarchie!
>
> Mit diesem Hochruf gehe ich in die nächste Runde. Späne sind mir wichtiger als das Brett. Bretter erinnern mich an Särge, Späne an lebendiges Haar. So emotional sieht sich die Welt für mich an. Sicherlich ein Nachteil, wir brauchen harte Herzen, das las ich schon an Bahnunterführungen vor dreißig Jahren. Aber es lebe die Anarchie!
>
> Dritte Runde. Zuchthaustüren. Der liebe Valentin wird am Ärmel gezupft und fügt sich. Sein Nachfahr singt sein Lied in kleinen Kneipen. Ach diese Hilfsarbeiter für Hierarchien! Schizophrenie ist strafbar, Trauer ein Entlassungsgrund. Wir lächeln dienstfreudig.
>
> Mittel sind gut verpackt, das gehört dazu. Nur die Zwecke kommen dir als offene Drucksache ins Haus, als Phonopost mit verminderter Portogebühr, gebührend, wie sichs gebührt, wie sichs friedricht. Eigentlich genügen drei Runden, die Anarchie kommt nicht einmal auf die Wage, und die Wage schreibt sich neuerdings mit zwei a. Da weiß ich nicht mehr, welches die Mittel sind und welches der Zweck, man muß nachsehen, im Gebührenheft für Bretter und Späne.

Erster Anstoß: der liebe Valentin. Er ist eine Figur aus Raimunds Theaterstück ‚Der Verschwender‘, ursprünglich Tischler, dann Diener bei einem reichen Herrn („Schön ist’s ein Bedienter z’sein“). Sein Hobellied, worin das Schicksal den Hobel anlegt und alle „gleich hobelt“, ist zum Volkslied geworden, wird in kleinen Kneipen gesungen. Es endet mit der Strophe: „Zeigt sich der Tod einst mit Verlaub / und zupft mich: Brüderl, kumm! / Da stell ich mich am Anfang taub / und schau mich gar nicht um. / Doch sagt er: Lieber Valentin! / Mach keine Umständ! Geh! / Da leg ich meinen Hobel hin / und sag der Welt Adje." Eichs Text, soviel ist jetzt schon gewiß, wendet sich gegen die Einverstandenen, gegen Gehorsamkeit und Fügsamkeit, die die bestehenden Hierarchien stützen, auch wenn diese auf Zuchthaus, Strafe, Gewalt basieren.

Erst die „Phonopost" könnte wieder anstoßen lassen. Sie erklärt sich im Zusammenhang mit den Wörtern Mittel und Zweck und dem bekannten Satz vom Zweck, der die Mittel heiligt. Phonopost könnte die Propaganda meinen, die laut, unaufgefordert und staatlich gefördert (verminderte Portogebühr) Weltanschauungen (Zwecke) verbreitet, aber die Mittel versteckt, mit denen sie durchsetzen und beibringen will, was sie bezweckt. Schwieriger zu erklären ist das Wortspiel, das von „Portogebühr" ausgeht. Es bezieht sich auf den Filmschauspieler Otto Gebühr (1877–1954) der als Darsteller Friedrichs des Großen populär war. Auch der Schauspieler ist ein Hilfsarbeiter der Hierarchien, indem er einen nahebringt, der in der Hierarchie zu oberst stand, der „am Ärmel zu zupfen" pflegte, auf dessen Befehl sich Gefängnistüren öffneten und schlossen, in dessen Macht Bestrafung und Entlassung standen, der zu denen gehört, die aus Valentins willigen Händen den Hobel übernehmen.

Der Rest ist nicht ‚nachzuschlagen'. Das „Gebührenheft für Bretter und Späne" gibts nicht, hier bleibt nichts übrig, als Eich zunächst ins Wortspiel zu folgen, es zu begreifen als Sinn oder Unsinn – für beides lassen sich Argumente beibringen.

Eichs ‚Maulwürfe' so zu lesen, ist vergnüglich, die Hintergründigkeit der Texte wird dabei zum Teil aufgedeckt, es wird deutlich, daß die Assoziationstechnik, auch wenn sie scheinbar Wahnsinn ist, doch vielfach Methode hat.

Aber möglicherweise ist diese Art zu lesen gegenüber der Wortspiel-Dimension der ‚Maulwürfe' zu indiskret, sie stellt

Zusammenhang her, wo der Autor ihn bewußt zertrümmert, weil er ihm mißtraut. „Die Vokabeln finde ich noch, weiß aber nicht, ob sie zusammengehören" (,Ein Wort für die Seldschukken', I 370), heißt es in einem der ,Maulwürfe' des zweiten Bandes.

Wer Eich das Nicht-Wissen (,,weiß aber nicht") abnimmt, wird den Zugang zu den ,Maulwürfen' anders suchen. Statt auszugehen von dem, was er *nicht* weiß, kann er ausgehen von dem, was er *versteht,* ohne zu wissen. Das ist im Falle von ,Späne' (und in allen andern ,Maulwürfen' auch) recht viel. Auch ohne Raimund und Otto Gebühr ist zu erkennen, daß dieser Text von Manipulierbarkeit und Untertanengesinnung handelt. Daß er in den ersten beiden ,,Runden" – die Boxmatch-Vorstellung ergibt sich – die Anarchie gegen die Fügsamkeit setzt, und in der dritten, die sich dann als die letzte erweist, die Gleichschaltung und Resignation umschreibt ,,Wir lächeln dienstfreudig." Die Anarchie ist gegenüber der allgemeinen Fügsamkeit ohne Chance, sie wird gar nicht in die Überlegungen der Mächtigen miteinbezogen (,,kommt nicht einmal auf die Wage"), diese stützen sich seit eh und je auf die herrschende Bereitschaft mitzumachen, einzustimmen und die zu eliminieren, die sich nicht gesund und lebensbejahend geben. Es war vor dreißig Jahren (zur Nazi-Zeit) nicht anders.

Die Thematik der ,Maulwürfe' ist fast durchweg unmißverständlich. Zusammengenommen formulieren sie nochmals und in ganz neuer Weise Eichs Nein zur Schöpfung im allgemeinen und zur Gesellschaft im besonderen. Sie formulieren es grundsätzlich: ,,Was mir am meisten auf der Welt zuwider ist, sind meine Eltern. Wo ich hingehe, sie verfolgen mich, da nützt kein Umzug, kein Ausland. Kaum habe ich einen Stuhl gefunden, öffnet sich die Tür und einer von ihnen starrt herein, Vater Staat oder Mutter Natur." (,Hausgenossen', I 312), oder anhand des aktuellen Einzelfalls (Studentenunruhen; Notstandsgesetze): ,,Ich glaube, meine Sammlung historischer Gummiknüppel aus Ost und West war die einzige ihrer Art" (,Sammlerglück', I 313); ,,Ich wache auf und bin gleich im Notstand. Die Gründe weiß ich nicht genau, verhafte aber vorsorglich meine Kinder, Verhaftungen müssen sein." (‚Episode‘, I 314) Sie formulieren das Nein manchmal höhnisch und bissig: „Mit dem Fernglas erkennst du die Kurgäste im Tal … auf dem Kasernenhof eine angetretene Kompanie, stumm, ein Dia in Grau. Unter Wasser atmen noch einige Reisbauern, aber seid unbesorgt, die Maschinengewehre richten sich auf die wichtigsten Punkte. Ihr Lieben, waren wir nicht eben noch in Karlsbad, Abano, Reichenhall? Setzt eure Kur ruhig fort, wir sind abgesichert …" (‚Kurmittel‘, I 318), manchmal in ganz stiller Trauer: „Aber gerade waren wir dabei, das Einverständnis zu kündigen, da kommt dieses Violett in alles und in die Dauer, die Zumutung des Lebens wird nicht mehr bemerkt, die Zumutung des Sterbens erbittert nur wenige." (‚Farbenblind‘, I 365)

Ob witzig oder bösartig, heftig oder verhalten, direkt oder subversiv angebracht: Das Nein entbehrt in jedem Augenblick und in jeder Ausdrucksweise der heroischen Allüre, ist ohne Wucht und Fulminanz. Die Weigerung ist geprägt vom Bewußtsein der Vergeblichkeit und des Scheiterns. Die ‚Maulwürfe‘ sind ohne Zuversicht geschrieben. Ihr Engagement kommt zustande gegen „das Bedürfnis …, leere Blätter leer zu lassen". (‚Regen‘, I 365) Eich macht sich keine Illusionen, weiß, daß einer noch keine Veränderungen bewirkt, indem er sich absetzt, nicht mitmacht: „Inzwischen reiten Thor und Wotan zu Holze … Wir bleiben zurück, treten höchstens vor die Haustür, und horchen auf ein Geläut, auf garnichts, es ergibt sich einfach, weil wir dann und dann geboren sind." (‚Zaubersprüche‘, I 351) Was der Nicht-Einverstandene und die Literatur des Nicht-Einverständnisses noch versuchen können, ist: der Solidarität Ausdruck geben mit denen, die benachteiligt sind, die ausscheren. Die ‚Maulwürfe‘ werden besonders bewegend und eigen, wenn sie solche Solidarität formulieren: in der Sympathie, fast Zärtlichkeit zum Beispiel, die Eich den Anarchisten zuteil werden läßt, wenn er sich mit vier anderen („Marxfreunde und Marxgegner") an der Grabstelle Bakunins zu „einer kleinen frauenlosen Andacht" trifft: „Aber wer mag an Bakunin gedacht haben?

Nicht einmal ich, nicht an seine Gefängnisse, nicht an sein Sibirien, nicht an sein verlassenes Locarno. Hoffentlich hat er dort wenigstens ein paar schöne sonnige Tage gehabt, die ihm den Bart gewärmt haben." (,Huldigung für Bakunin', I 318)

Was den Savonarola-Ton, jedes didaktische, dogmatische Element in den ,Maulwürfen' undenkbar macht, ist ihre Form. Gewisse formale Techniken hat Eich zwar bereits verwendet: diejenige der Assoziation in ,Man bittet zu läuten', die der Reduktion in den Gedichten. In den ,Maulwürfen' erscheint beides verändert, weil es gekoppelt ist mit der Tendenz zur Blödelei. In einem Interview nach einer der ersten ,Maulwurf'-Lesungen charakterisiert Eich seine Entwicklung mit der Formel ,,vom Ernst immer mehr zum Blödsinn", und er schreibt dem Blödsinn ,,eine ganz bestimmte wichtige Funktion in der Literatur" zu, ,,vielleicht auch eine Funktion des Nichteinverständnisses mit der Welt". (IV 408).

,,Als er sich schließlich Sinn von Unsinn zu scheiden weigerte und die Maulwurf-Sprache zu sprechen begann, ist der anarchische Zug seiner Dichtung ruchbar geworden."[58] Peter Horst Neumanns Satz deckt genau auf, daß stärker noch als in der Thematik das Nein zur Welt in der Sprache der Maulwürfe und dem in ihr zentralen Element des Unsinns zum Ausdruck kommt. In dieser Sprache werden Anliegen, Probleme und Aussage heimtückisch verschüttet, werden zwischen, oder besser: hinter die Zeilen gedrängt. Sie erscheinen möglichst beiläufig, in Nebensätzen: ,,... ist nicht viel zu erreichen, wenn man überhaupt etwas erreichen will." (,Regen', I 365) Oder sie werden in Kalauern scheinbar entschärft: ,,Endlich weiß man, was Zeit ist: Solang man trödelt, es wird nicht früher." (,Zeit und Zeitung', I 306); ,,Wir feiern die Feste wie wir fallen." (,Feste', I 350) Sie werden in Wortreihen geschmuggelt: ,,Die Spitzenschleier, spanische Mantillen, die Garotte ..." (,Ende Juni anfangs Juli', I 324) – letztere ist ein Folterwerkzeug der Inquisition. Oder es wird aller Ernst in den Doppelsinn eines Wortes angesiedelt: ,, – man hat jede Freiheit. Ja, auf den Bergen wohnt sie, aber niemand bleibt oben, wir sind alle heruntergekommen." (‚Alpinismus‘, I 357) Und mit Vorliebe wird das Gegenteil von dem gesagt, was sein soll: „Alte Frauen sind eine Quelle der Heiterkeit, wenn sie taub sind und sich nicht bücken können. Ein herzhaftes Lachen, in das jeder einstimmt, wenn sie alles falsch verstehen, selbst das Einfachste." (‚Abschweifung in einem Gespräch über den Aorist‘, I 388)

Eichs Methoden, herunterzuspielen und zu umspielen, sind damit sehr unvollständig zusammengestellt. Und sie werden umso erfindungsreicher angewandt, je ernster es ihm ist. So erscheinen die Themenkreise Altern, Verlassenheit, Tod fast nur blitzartig, in Momentaufnahmen: „Die schwarzen Kirchgänger keuchen bergan, den nächsten Weg werden sie getragen, that's fine." (‚Wenig Reiselust‘, I 341) Oder sie werden in eine groteske Vorstellung verpackt: „Der Matrosenanzug ist an einen Lumpenhändler verkauft, jetzt könnte man ihn brauchen, man schrumpft ein." (‚Erinnerung an morgen oder weiter zurück‘, I 367)

Eich tut viel, um seine ‚Maulwürfe‘ dem Mißverständnis auszusetzen. Wer ihm nicht in die Falle geht, wird mit Erstaunen bemerken, wie zerstörerisch ihr Witz ist: wie Verballhornung und Kalauer Elemente der Gegen-Sprache sind; wie die Zertrümmerung der Zusammenhänge den unreflektierten Glauben an sie verunmöglicht; wie die verabredete Sprache als lächerlicher Jargon entlarvt wird. „Nirgends ist das Griechische so verbreitet wie in Griechenland" (‚Indogermanisch‘, I 369) – auch ein so zauberhaft blöder Satz wie dieser enthält eine ernste Wendung gegen die Gewohnheit der Benennung und die Gewöhnlichkeit der Fakten. Es ist ein Satz voller Mißmut und Trauer. Es gilt für ihn, was Peter Bichsel, einer der verständigsten Interpreten der ‚Maulwürfe‘, über diese allgemein sagt: „Das Buch handelt nicht von, es ist. Es handelt nicht von Traurigkeit, es ist traurig."[59] Solche Traurigkeit *ist* manchmal in einem einzigen Satz – im ersten von ‚Preisgünstig‘ (I 340): „Die halbgeleerten Bierflaschen an der Baustelle sollten sie austrinken ..."; im letzten von ‚Zeilen an Huchel‘ (I 352): „Ich glaube, der Schnee bleibt liegen."

Die beiden Bände ‚Maulwürfe‘ und ‚Ein Tibeter in meinem Büro‘ wurden hier in einem diskutiert. Das ist berechtigt, die Texte beider Bände sind überwiegend 1968 und 1969 entstanden. Trotzdem läßt sich von den ‚frühen‘ zu den ‚späten‘ ‚Maulwürfen‘ eine Entwicklung feststellen – dieselbe wie in den Gedichtbänden: wachsende Verschwiegenheit, Abstraktion und Reduktion, bis hin zu den unheimlichen Kurz-‚Maulwürfen‘ am Ende von ‚Ein Tibeter in meinem Büro‘, wo die Zertrümmerung vom Zusammenhang der Sätze auf diese selbst übergreift, so daß die bedrückende Realität sich in Verstörung und Stammeln äußert, als ob einer in Fieberträumen redete: „Oates hat sich gestohlen, hat uns erledigt, adverbiale Bestimmung des Ortes, Genitiv. Oates, der fiebert, hat gefunden, durch. Zelt, Gewicht, Nebelloch. Wir kommen, schaffen, haben, haben, hin, Akkusative. Loch in der Zeit. Haben Akkusative, was meinst du?" (‚Monolog des Kapitäns Scott‘, I 374)

Es ist viel diskutiert worden über die Gattungsbezeichnung ‚Maulwürfe‘ und ob sie eher Gedichte oder Prosatexte seien. Aber der Versuch, sie in einer der herkömmlichen Gattungen unterzubringen, widerspricht der – wiederum – anarchischen Absicht Eichs bei der Gattungsbezeichnung: der Absicht nämlich, aus den üblichen Gattungen auszubrechen. Er will ausdrücklich, wie er in einem Brief an seinen Verleger schreibt, ‚Maulwurf‘ „als Gattungsname konstituieren"; deshalb der Untertitel ‚49 Maulwürfe‘ für ‚Ein Tibeter in meinem Büro‘. Es gibt die Gattung vor Eich nicht. Und ihre Tendenz kaum. Eich selber erinnert zwar einmal an den Dadaismus – aber in seiner Art des Unsinns ist die Welt stärker präsent als bei allen Dadaisten. Die Gattung ‚Maulwurf‘ ist gleichermaßen von Form, Aussage, der Tierart und dem Wort ‚Maulwurf‘ (‚maulen‘, ‚mit dem Maul werfen‘) bestimmt. Sie ist nicht Gedicht und nicht Kurzprosa, sondern eben ‚Maulwurf‘ und damit Ausbruch aus den Normen und Kategorien – und Absage an sie.

Ein Mißverständnis ist auszuschalten: Die ‚Maulwürfe‘, die sich frei und zufällig, als Fabulieren und Improvisieren geben, sind nicht weniger kontrolliert geschrieben als die Gedichte.

Eich hat die Manuskripte vielfach überarbeitet, von einigen ‚Maulwürfen' existieren fünf, sechs Fassungen. Er hat viele Passagen und ganze ‚Maulwürfe' für den Druck noch ausgeschieden. Wiederum mit der auch an Gedichtbearbeitungen beobachteten Tendenz, die Texte dem raschen Verständnis zu entziehen, dem Leser statt der üblichen Wege nur noch Spuren, Fährten, Umwege zu bieten. Bezeichnend dafür der ‚Maulwurf' ‚Frühgeburt' (I 367):

> Seitdem es sich in seinem Kopf rührt, kann er noch dreierlei, sitzen, stehen und liegen. Zu wenig, wenn man nicht weiß, was sich rührt. Er weiß es nicht, es sind Felder, vierundsechzig, was sind Felder, was ist vierundsechzig? Wenig Holzbearbeitung, keine Pflegeanstalten, zu früh für Könige und ihre Damen. Nichts will sich ordnen, Keulenträger ringsum, gutmütig aber schon zu lange. Heute käme er zum Zuge. Derselbe? Der eben auf seine Kinder starrt. Er möchte sich in Selbstgespräche retten, aber dann sieht er schon die Keule über sich.

In früheren Fassungen war die Situation klar: Es ging um einen Höhlenbewohner, der zu früh für seine Zeit die Erfindung des Schachspiels im Kopf wälzte. Und am Ende heißt es: „Es war in der Steinzeit, er war für alles unbegabt was man brauchte, und er wurde mit einer Keule erschlagen, weil er Selbstgespräche führte. Vermutlich gibt es immer wieder Fälle von Fehlbegabung, man erfährt sie nicht." (I 439) In der endgültigen Fassung sind die Elemente Höhlenbewohner und Schachspiel nur noch angedeutet, und statt des explizierenden und (im letzten Satz) kommentierenden Schlusses nun einer, der nichts als die Situation wiedergibt („aber dann sieht er schon ..."). Damit sind Erfahrungen und Auswertung auf den Leser abgewälzt, er muß den Text aus seinen eigenen Erfahrungen heraus verstehen lernen.

Das gilt für alle ‚Maulwürfe'. Deshalb macht die in diesem Kapitel angewandte Methode, einzelne Sätze und Stellen zu zitieren, das Verständnis fast schon unerlaubt leicht. Im Zusammenhang, vielmehr: im Nicht-Zusammenhang eines vollständigen ‚Maulwurfs‘ geraten solche Sätze und Stellen in den Fleischwolf, werden fast unkenntlich, entzogen, und müssen sorgsam herauspräpariert und in ihre Funktion eingesetzt werden.

Die Rezeption der ‚Maulwürfe‘ in der Öffentlichkeit ist nun kaum mehr bestimmt vom Blick zurück auf das klassische Werk. Es gab wohl Stimmen, die elegisch oder zornig ,,dem stillen und strengen Lyriker‘‘[60] (Reich-Ranicki) nachtrauerten. Und Gabriele Wohmann berichtet in ihrer Rezension[61] der ‚Maulwürfe‘, daß es anläßlich von Eichs ‚Maulwurf‘-Lesung vor der Gruppe 47 verständnisloses Kopfschütteln gab, von Günter Grass beispielsweise. Aber die Begeisterung überwog. Und ihr lag Erstaunen zu Grunde, das sich in der Kritik weitgehend fortsetzte. Diese war bereit, es ernst zu nehmen und festzuhalten, daß hier ein längst berühmter und klassierter Autor nochmals einen Ausbruch und Aufbruch gewagt hatte. Vor allem ist eine eigenartige Verschwörung der Schriftsteller zu Gunsten der ‚Maulwürfe‘ zu bemerken – als hätten sie sie der üblichen Literaturkritik entziehen wollen. Dabei fanden sich Autoren von Eichs Generation (Hildesheimer, Böll, Krolow) mit denen einer jüngeren (Gabriele Wohmann, Bichsel, Härtling, Baumgart). Die meisten von ihnen zeigen, so urteilt Susanne Müller-Hanpft, ,,daß es Eich gelingt, den ideologischen Charakter der hergebrachten normativen (Literatur-)Kategorien zu entlarven‘‘.[62] Zum Erfolg bei der Kritik tritt ein Publikums-Erfolg. Nur ‚Träume‘ (54. Tausend) und ‚Botschaften des Regens‘ (34. Tsd.) hatten Ende 1973 eine höhere Auflage als die ‚Maulwürfe‘ (16. Tsd.).

Auch wenn dieser Erfolg zum Teil auf dem Mißverständnis basieren mag, die ‚Maulwürfe‘ seien vor allem vergnüglich, verspielt und skurril, so könnten sie doch auch rückwirkend klar gemacht haben, wie sehr Eichs Schaffen seit 1959 gekennzeichnet ist durch eine radikale Wendung des Autors nicht nur gegen sich selbst (,,Viele meiner Gedichte hätte ich mir sparen können

...¨; ‚In eigener Sache', I 346), sondern auch gegen Leser und Lesegewohnheiten: ,,Mir liegt nichts daran, mich anmutig zu bewegen, – wer mir das nachrühmt, macht mich ärgerlich." (‚Notizblatt eines Tänzers', I 332) Im selben Text ist die Rede davon, daß es darum gehe, ,,eine unbetretene Stelle zu betreten". Wenn es sie in der Literatur gibt, so hat Eich sie mit den ‚Maulwürfen' betreten. Das Risiko war nicht unbeträchtlich. Die einen konnten sie als reine Poesie und Überwindung der Realität dankbar begrüßen, die andern als Flucht in die Innerlichkeit abtun. Beides verkennt den Standpunkt des Autors völlig. ,,Ich bleibe in solchen Fällen im Platzregen ..." (‚Botanische Exkursion', I 371) – das umschreibt diesen Standort und seine Exponiertheit sehr genau.

V. Eichs Position in der deutschen Literatur nach 1945

Eben hielt ich mich noch für Avantgarde,
schon gibt es Spezialisten

„Vielleicht ist Eich in Kürze passé. Als was man mich nachher
ansieht, ist mir egal." (IV 415) Das sind die letzten Sätze eines
Interviews, das Eich 1971 gab. Ihre doppelte Ruppigkeit, gegen
sich selbst auf der einen und die Kritiker und Leser auf der andern
Seite, ist ernst zu nehmen. Die Sätze enthalten keinen Unterton
von Koketterie. Eich hat erfahren, wie rasch jener Teil seines
Werks, der ihn berühmt machte (die Hörspiele und Gedichtbände zwischen 1948 und 1958) in den neuen literarischen Theorien
abgeschrieben wurde. Trotzdem sind die Sätze auch nicht Ausdruck von Resignation und Bescheidenheit. Zu dem Zeitpunkt,
da er sie ausspricht, beurteilt Eich Literatur nach ihrer Funktion
und Wirkung in der Epoche ihrer Entstehung. Was für die Lyrik
gilt: daß sie „gegenwärtige Lyrik" (IV 307) sei, gilt für die
Literatur überhaupt. Zugleich liegt darin die Chance ihres Wei-
terlebens: Die Auseinandersetzung mit ihr wird zur Auseinandersetzung mit der Zeit, die sie vertritt. Dieser Wirkung seines
Werks war sich Eich bewußt. Seine Distanzierung vom gesam-
ten früheren Schaffen rührte bis zu einem gewissen Grade daher,
daß er immer wieder und zu ausschließlich *darauf* festgelegt
wurde und daß dadurch die Beschäftigung mit seinem späteren
Werk oft ausfiel oder voreingenommen war. Doch wird trotz
Fehleinschätzungen und Selbstrelativierung Eichs Platz in der
deutschen Literatur nach 1945 zu keiner Zeit und bis heute nicht
in Frage gestellt. Wo das Hörspiel und die Lyrik der letzten
fünfundzwanzig Jahre untersucht werden, ist unfehlbar von
Eichs Beitrag zu diesen Gattungen die Rede. Da das Werk der
Jahre 1927 bis 1940 kaum zugänglich war, wurde es bisher wenig
berücksichtigt, wenn es galt, den Stellenwert dieses Beitrags

auszumachen. Daran muß sich allerdings auch nach Erscheinen der Gesammelten Werke wenig ändern. Die Gedichte und Hörspiele der dreißiger Jahre sind innerhalb von Eichs Entwicklung weit wichtiger als in der Entwicklung der deutschen Literatur. Damit ist nicht eigentlich etwas über ihre Qualität gesagt. Die Prosa der dreißiger Jahre, das Theaterstück ‚Der Präsident‘, aber auch Hörspiele wie ‚Radium‘ und ‚Fährten in die Prärie‘ verdienen es, entgegen Eichs Verdikt, der Vergessenheit entrissen zu werden. Aber auch diese Werke haben nicht auf die Literatur ihrer Epoche gewirkt, sie sind, auch wo sie thematisch und formal neue Wege angehen, weit stärker angeregt, als daß sie anregen würden. Dies gilt vermehrt für die in ihrer Zeit viel bewunderte Lyrik des jungen Eich: Obschon sie vielfach ein auffallendes Talent verrät und manchmal ganz nahe daran scheint, die Überlieferung (Naturlyrik, Expressionismus) zu durchbrechen, ist sie als Gesamtphänomen unbedingt in eben diese Überlieferung zu stellen, die zu jenem Zeitpunkt zudem bereits eine überwundene ist.

So weisen Benns, Brechts, aber auch Arps Gedichte aus den zwanziger Jahren ungleich entschiedener in die literarische Zukunft als diejenigen Eichs, obwohl dieser jünger ist als die genannten. Mit den Namen Benn, Brecht – Horvath müßte dazu genommen werden – sind einerseits Bedeutung und Wirkung von Eichs Frühwerk in die richtige Relation gestellt. Aber andererseits sollen diese Namen auch auf die Dimensionen hinweisen, in denen die Bedeutung von Eichs Werk nach 1948 zu sehen ist.

Wer sie sich heute bewußt macht, stößt zunächst auf ein irrationales Moment. Kurze Zeit nach Erscheinen seines ersten Nachkriegsgedichtbandes war Eich gleichsam Garant für die neue Zuverlässigkeit der deutschen Sprache und Literatur. Dafür gibt es zwei schöne Zeugnisse, beide von Exilschriftstellern. Als Hilde Domin nach Deutschland zurückkehrt, liest sie die ‚Träume‘ und sieht eine szenische Aufführung der ‚Mädchen von Viterbo‘. Viel später faßt sie diese Eindrücke so zusammen: ,,Ich denke, daß es sehr wesentlich das Deutschland Günter

Eichs war, aus dem jemand wie ich, der zögernd gekommen war, keine Rückfahrkarte mehr brauchte."[63] Hermann Kesten nimmt nach seiner Rückkehr aus Amerika 1950 an jener Tagung der Gruppe 47 teil, an der Eich den ersten Preis der Gruppe zugesprochen bekam. Kesten erzählt, nicht ohne Ironie, wie junge oder nicht mehr so junge Autoren vorgelesen hätten, „einige offenbarten sogar Talent", aber sie seien alle Nachahmer und Nachfolger gewesen, und die älteren unter ihnen hätten nicht besser und nicht schlechter geschrieben als schon 1933. „Schließlich las ein älterer Autor neun Gedichte vor, und als Hans Werner Richter mir ... das Wort gab, sagte ich spontan: Ecce poeta! Es war endlich die Stimme eines Poeten, die Stimme von Günter Eich."[64] Kestens Urteil weist trotz der gefährlichen Ecce-Poeta-Formel auf etwas, was fortan für Eichs Entwicklung charakteristisch ist: ihre Individualität nämlich. Eich hat in ‚Abgelegene Gehöfte' Gedichte veröffentlicht, die zu Paradebeispielen für den sogenannten Kahlschlag wurden. Aber Eich war auch der erste, der erkannte, daß sich im Kahlschlag-Credo ein neuer Purismus abzuzeichnen begann. Die Gedichte, die ihm den Preis der Gruppe einbrachten, stellen bereits einen Ausbruch aus ihrer damaligen Literaturtheorie dar. Sie sind durch den Kahlschlag hindurchgegangen und lassen ihn nun hinter sich: weil er neue Ausschließlichkeit bedingte, Vereinbarung wurde.

In diesem Gespür für allfällige neue literarische Einengung, in der sofortigen Reaktion des Mißtrauens darauf und der Konsequenz, einen Schritt weiter zu gehen oder neu anzusetzen, liegt Eichs eigentlicher Avantgardismus. Es läßt sich behaupten, daß ohne ihn die Entwicklung der poetischen Sprache in den fünfziger Jahren einen anderen Verlauf genommen hätte, jedenfalls langsamer gewesen wäre. Eichs Beispiel gab den Anstoß, mit der Sprache wieder zu experimentieren, dem Autor mehr abzuverlangen als den Kahlschlag, der gewiß in den ersten Jahren des Kriegs eine notwendige Stufe war. Wäre es aber dabei geblieben, müßte dies einem heute so vorkommen, wie wenn man es hätte dabei bewenden lassen, die Trümmer zu schleifen und wegzuräumen, ohne dann möglichst rasch den Wiederaufbau an die

Hand zu nehmen. Daß Eich den Wiederaufbau der Sprache zu Anfang der fünfziger Jahre gewagt hat, ist von jetzt aus betrachtet entscheidender als sein Beitrag zur sogenannten Kahlschlag-Literatur. In diesem Sinne ist ,Botschaften des Regens' wichtiger für die Literatur der fünfziger Jahre als jede andere damalige Lyriksammlung, die jener Eichs an die Seite zu stellen wäre.

Mit seinen Hörspielen aus dieser Zeit verhält es sich ähnlich. Die Sicherheit, mit der Eich sich des Funks bediente, und der Erfolg seiner Hörspiele stellten für die zeitgenössischen Autoren zweifellos eine Motivation dar, ebenfalls für das Medium zu arbeiten. Es ist, ganz abgesehen von seinem eigenen Beitrag, in starkem Maße Eichs Verdienst, wenn die Hörspiel-Literatur der fünfziger Jahre Bedeutung und Qualität innerhalb der Literatur überhaupt gewann. Die Einzigartigkeit der damaligen Position des Hörspiels ist erst heute ganz zu ermessen, wo es Außenseiter-Literatur darstellt, ohne daß die Fernseh-Literatur auch nur entfernt das literarische Gewicht bekommen hätte, die das Hörspiel in den fünfziger Jahren besaß. Es ist schwer vorstellbar, daß ein Hörspiel- oder Fernsehspiel-Band, auch eines Erfolgsautors von heute, wie die Buchausgabe der ,Träume' eine Auflage von über fünfzigtausend erreichen könnte.

Eigentlich unverwechselbar, und in dieser Unverwechselbarkeit für die deutsche Literatur wichtig, wird Eich von dem Zeitpunkt an, da er es sozusagen zu einem Bruch mit seinem bisherigen Werk kommen läßt. Hier wird seine Entwicklung auf eine ganz neue Art beispielhaft. Von den Schriftstellern, denen Kesten 1950 während der Tagung der Gruppe 47 begegnete, sind viele (zu Recht oder zu Unrecht) vergessen. Einige wenige von denen, die von Anfang an zur Gruppe gehörten oder im Verlauf der fünfziger Jahre dazustießen, haben eine radikale, aber konsequente Entwicklung durchgemacht – Ilse Aichinger, Hildesheimer, Celan zum Beispiel. Andere haben die Position gehalten und sind wie Böll und Lenz sogar zu deutschen Bestseller-Autoren geworden, ohne daß an ihrem Werk eine einschneidende literarische Entwicklung aufzuzeigen wäre. Keiner aber der Schriftsteller, die nach dem Krieg zu schreiben begonnen haben (und schon gar keiner, dessen Anfänge bis in die zwanziger Jahre zurückreichen), weist in seiner literarischen Entwicklung derartige Sprünge, Brüche und Volten auf wie Eich. Sein Mißtrauen gegen Programm und Theorie führte ihn dazu, sich immer dann von seinem Werk abzusetzen, wenn es programmatisch und theoretisch auswertbar wurde. Eich hat dadurch nicht nur die späteren Kritiker seiner schon klassisch gewordenen Werke längst hinter sich gelassen, als sie mit ihrer Kritik ansetzten. Sondern er hat wahrscheinlich auch die Entwicklung der deutschen Literatur der Nachkriegszeit weiter vorangetrieben als irgendein Autor seiner Generation. Das läßt sich zur Zeit noch schwer nachweisen. Denn Eich wurde immer mehr zum Außenseiter unter den berühmten deutschen Autoren der letzten fünfundzwanzig Jahre. Er ist in den sechziger Jahren nicht mehr *der* Vertreter einer Gattung. Er ist aber auch nie, wie etwa Heißenbüttel, ‚Haupt‘ einer Schule geworden.

Hinzu kommt, daß Eich nach 1956 nie mehr eine Poetologie entwickelt hat. Sein Außenseitertum ist nicht retrospektiv und schon gar nicht reaktionär. Es ist auch nicht – wie etwa im Falle Arno Schmidts – um exzentrische Züge bemüht. Es ist vielmehr eine Konsequenz von Eichs ständiger literarischer Selbstkritik und seiner Offenheit gegenüber allen experimentellen Strömungen. Bezeichnend dafür sein Interesse an der konkreten Poesie, das er 1967 so begründete: ,,Gerade weil ich finde, daß die Sprache unbenutzbar sein sollte, halte ich diese ganz extremen Dichtungsformen, die mit Buchstaben und sonstwas arbeiten, heute für ungeheuer wichtig und komischerweise auch für politisch wichtig." (IV 409) Aber Eich ist nicht den Weg der konkreten Poesie gegangen. Denn auch dies hätte bedeutet, daß er sich festlegte auf Schule, Programm, Poetologie, daß er sich einer literarischen ‚Partei‘ anschloß. Das ist undenkbar, weil sein Anarchismus ebenso existentiell wie literarisch ist. Schreiben ist für Eich seit der Büchner-Rede ein grundsätzlich oppositioneller Akt, er bedingt eine immer wieder neue Fragestellung und schließt die endgültige Parteinahme aus.

Der anarchische Freiraum, den Eich sich so – politisch und

literarisch – geschaffen hat, machte ihn möglicherweise für die Schriftsteller der folgenden Generation besonders anziehend. Es ist auffallend, wie sehr gerade der späte Eich die jungen Autoren beeindruckt hat. Es zeigte sich anläßlich des Erscheinens der ‚Maulwürfe' (vgl. S. 139). Und nach Eichs Tod. An der Gedächtnisfeier, die Eichs Verlag veranstaltete, lasen neben Autoren aus Eichs Generation auch Peter Bichsel, Peter Handke und Jörg Steiner.[65] Und im Band ‚Günter Eich zum Gedächtnis'[66] kommen auch junge Schriftsteller wie Jürgen Becker, Günter Bruno Fuchs, Christoph Meckel zu Wort. Es ist deshalb nicht ‚Einfluß' Eichs im Werk dieser und anderer junger Autoren nachzuweisen. Auf Grund der Außenseiterposition Eichs seit 1959 wird eine spätere Generation sich erneut mit seinem Werk auseinandersetzen und dann erst seine Wirkung im Hinblick auf Entwicklungen und Richtungen der Gegenwartsliteratur genauer definieren können. Daß das neue Hörspiel in mancher Hinsicht in ‚Man bittet zu läuten' vorweggenommen wurde, ist offensichtlich (vgl. S. 110). Auch die Wirkung der späten Lyrik Eichs beginnt sich abzuzeichnen. Nicht zufällig beruft sich Erich Fried darauf (vgl. S. 128). Seine und auch Yaak Karsunkes politische Gedichte könnten von ihrer Form her auf Eich zurückgeführt werden. Und die stärkste Verwandtschaft mit Eichs Gedichten läßt sich wohl an der Lyrik Jürgen Beckers aufzeigen, vor allem was die Konfrontation des lyrischen Ich mit der Gesellschaft, mit Erinnerung und Gegenwart angeht.

Was damit sehr vorsichtig angedeutet werden soll, ist dies: Eine neue Generation von Schriftstellern scheint Eichs Werk zu rezipieren und oft eine stärkere Affinität dazu zu empfinden als zum Schaffen anderer Autoren aus Eichs Generation. Eine solche Affinität ist nicht selbstverständlich. Die Schriftsteller, die in den sechziger Jahren zu schreiben begannen, pflegen diejenigen der unmittelbaren Nachkriegszeit und der fünfziger Jahre nicht selten in ähnlich radikaler Weise abzuschreiben wie diese die Autoren der Vorkriegsjahre. Hans Dieter Schäfer behauptet, Eichs Gedichte mit ihrem „Belsazarschrift"-Charakter seien „für die jüngere Lyrikergeneration anachronistische Erscheinungsweisen des Spätbürgertums".[67] Das ist vielfach zu widerlegen. Nicht nur mit dem Hinweis auf junge Schriftsteller, die sich ausdrücklich auf Eich berufen. Auch die Literatur- und Poesiedefinition, die Handkes Aufsatz von 1967 ,Ich bin ein Bewohner des Elfenbeinturms' (,,Ich erwarte von der Literatur ein Zerbrechen aller endgültig scheinenden Weltbilder"[68]) und seine Büchner-Rede von 1973 (vgl. S. 91/2) enthalten, entspricht Eichs Position, ohne daß Handke sich auf ihn beruft.

Schäfer, der Eichs Lyrik in der ,,Spätphase des hermetischen Gedichts" unterbringt, bemerkt selbst eine ,,Relativierung der hermetischen Dichterhaltung"[67] bei Eich. Eich ist überhaupt mit seiner Lyrik seit 1964 schwerlich unter die hermetischen Lyriker zu rechnen. Nicht nur, weil er (wie Schäfer richtig feststellt) anders als der für die hermetische Dichtung exemplarische Celan, der ,,von Anfang an die Königsaura des hermetischen Dichters kultivierte",[67] einer solchen Haltung zeitlebens denkbar verständnislos gegenüberstand. Sondern auch, weil Eichs späte Gedichte zwar verschlossen sind, aber nicht verschlüsselt (Hans Mayer: ,,Jede Zeile bleibt verständlich, erst recht jedes Wort."[69]); weil sie abweisend sind, aber damit die Konfrontation provozieren und nicht esoterische Versunkenheit demonstrieren. Die Unmißverständlichkeit der Zeitbezogenheit – wobei auch das lyrische Ich der Zeit ausgesetzt ist – stellt Eichs Gedichte von der Sammlung ,Zu den Akten' an nicht in die hermetische Tradition von Hölderlin, Klopstock, Novalis einerseits und der französischen Symbolisten andererseits, sondern in diejenige Heines oder – wenn die Tradition weiter zurückgeführt werden soll – Walthers von der Vogelweide, und Alkaios' (nicht Pindars).

1969 stellt der jungverstorbene deutsche Schriftsteller Rolf Dieter Brinkmann in der Anthologie ,Acid' die neue amerikanische Literaturszene vor. Dabei polemisiert er gegen die zeitgenössischen deutschen Schriftsteller, die ,,sich mit dem Bekannten weiterhin aufblähten wie fränkische Kirschgärten, nordische Flechte, die Heiterkeit eines Sommernachmittags . . ."[70] Er spielt also in seiner Polemik auf ein Eich-Gedicht an, ,Fränkisch-tibetischer Kirschgarten' (I 94), das allerdings bezeichnenderweise in die Sammlung ‚Botschaften des Regens' von 1955 gehört. Brinkmann spürte nicht, daß er in Wirklichkeit auf Schritt und Tritt Eigenart und Tendenzen von Eichs Werk nach 1959 beschrieb, als er die angeblich ausschließlich amerikanische literarische Leistung anpries: ‚‚Der Unterschied zu den europäischen Literaturprodukten der Gegenwart besteht darin, daß sich diese (die amerikanischen) Autoren nicht haben besetzen lassen von der allzu billigen (und primitiven) Ansicht, das wäre schon fortschrittlich und damit wäre schon etwas gewonnen, wenn sie ihre Arbeit mit politischem Inhalt füllen. Sie gehen davon aus, daß eine literarische Arbeit selber ein Politikum darzustellen hat, indem sie Übereinkünfte des Geschmacks, des Denkens und der Vorstellungen sowie hinsichtlich des Gattungsgebrauchs ... bricht ..."[70] ‚‚... wieweit sich Literatur auflösen läßt ... ein Stückchen Freiheit realisieren ..."[71] Die europäische ‚‚Kunst verteidigte immerzu ‚Natur', das Natürliche, das Ursprüngliche und spielte es gegen die bestehende Zivilisation aus ..."[70] ‚‚... der zur Zeit herrschende Trend in der amerikanischen Literatur, Witze zu machen: sie lockern den bestehenden Zustand einer Gesellschaft ..."[70]

Eich soll in dieser Zitatensammlung nicht als ‚amerikanischer' Autor nachgewiesen werden. Aber sie könnte deutlich machen, daß er nicht der Mann ist, an dem 1969 die Rückständigkeit der deutschen Literatur aufgezeigt werden kann. Brinkmanns Mißverständnis zeigt nur, daß die Rezeption von Eichs Werk noch keineswegs abgeschlossen ist. Sie stützt sich, was auch die Literaturgeschichten beweisen, zu ausschließlich auf das Werk der fünfziger Jahre statt auf das seit 1959. Da werden Korrekturen anzubringen sein.

Erstaunlich gering für einen Autor von Eichs Renommee ist die Verbreitung seines Werks im nicht deutschsprachigen Ausland. Wenn die Übersetzungsarbeit systematisch geleistet würde, könnte die Rezeption Eichs im Ausland der Auseinandersetzung mit ihm hier neue Impulse verleihen.

Es hat jedenfalls nicht den Anschein, als ob ‚‚Eich in Kürze passé" sei. Eher könnte eine spätere Eich-Diskussion zum Ergebnis kommen, daß Eichs selbstironischer ‚Maulwurf'-Satz über Avantgardisten und Spezialisten („Eben hielt ich mich noch für Avantgarde, schon gibt es Spezialisten"; ‚Seepferde', I 308) in seinem Fall so zu verstehen ist, daß Eichs Avantgardismus dem Spezialistentum immer „einige Meter voraus" war – wie die Maulwurfsnasen „anderen Nasen" (‚Präambel', I 302).

Anmerkungen

1 Joachim Kaiser, in: Günter Eich zum Gedächtnis, Suhrkamp Verlag, Frankfurt 1973, S. 86.
2 Willi Fehse, in: Günter Eich zum Gedächtnis, S. 22.
3 Willi Fehse, in: Günter Eich zum Gedächtnis, S. 30.
4 Römische und arabische Zahl hinter einem Titel oder Zitat verweisen auf die entsprechende Seite (arabische Zahl) von Günter Eich, Gesammelte Werke, Bd. I–IV, Suhrkamp Verlag, Frankfurt 1973.
5 Eich 1964 zu Willi Fehse. Zitiert nach: Günter Eich zum Gedächtnis, S. 34.
6 Erhart Kästner, in: Günter Eich zum Gedächtnis, S. 78/9.
7 Jürgen Eggebrecht (Dr. jur., Lyriker und Erzähler, nach dem Krieg lange Zeit Leiter der Abteilung ‚Das kulturelle Wort‘ beim NDR) machte dem Verfasser dieses Buches freundlicherweise die Angaben zu Eichs Biographie während der Kriegsjahre. Eggebrecht war Kriegsverwaltungsrat und begründete den Frontbuchhandel.
8 Walter Jens, Deutsche Literatur der Gegenwart, Piper Verlag, München 1961, dtv 172, S. 21.
9 Benn, Gesammelte Werke, Limes Verlag, Wiesbaden 1960 ff., Bd. 7, S. 1852; S. 1850/1.
10 Benn, Die neue literarische Saison, in: Gesammelte Werke, Bd. 4, S. 988/990.
11 Mit dieser Formel überschreibt Günter Bien seinen Eich-Aufsatz in: Text + Kritik, Heft 5 (1. Auflage), Günter Eich, Juni 1964, S. 3.
12 Günter Eich, Ein Lesebuch, Ausgewählt von Günter Eich, hrsg. von Susanne Müller-Hanpft, Suhrkamp Verlag, Frankfurt 1972.
13 Günter Bien, Option für die Frage, in: Text + Kritik, Heft 5 (1. Auflage), Günter Eich, Juni 1964, S. 3.
14 Willi Fehse, in: Günter Eich zum Gedächtnis, Suhrkamp Verlag, Frankfurt 1973, S. 35/39.
15 a. o. O., S. 33.
16 Walter Jens, Deutsche Literatur der Gegenwart, dtv 172, S. 24.
17 Hans Werner Richter, in: Der Ruf, Heft 2, 1946.
18 Wolfdietrich Schnurre in Klaus Wagenbachs Nachwort zur Prosaanthologie ‚Das Atelier‘, Frankfurt 1962, Fischer Bücherei 455, S. 148
19 Urs Widmer, 1945 oder die ‚Neue Sprache‘, Studien zur Prosa der ‚Jungen Generation‘, Verlag Schwann, Düsseldorf 1966, S. 198.
20 Heinrich Vormweg, in: Die deutsche Literatur der Gegenwart‘, Reclam Verlag, Stuttgart 1971, S. 13 ff.

21 Dieter Lattmann, in: Kindlers Literaturgeschichte der Gegenwart, Die Literatur der Bundesrepublik Deutschland, Kindler Verlag, München und Zürich 1973, S. 174.

22 Der Text ist erschienen in: Der Ruf, Jg. 1, Nr. 17, April 1947. Er ist nicht in den Gesammelten Werken veröffentlicht.

23 Susanne Müller-Hanpft weist in ‚Lyrik und Rezeption‘, Hanser Verlag, München 1972, einen tschechischen Vorläufer von ‚Inventur‘ nach. Diesem Gedicht von 1916 gegenüber wirkt Eichs Form fast plagiatorisch. Aber falls es überhaupt denkbar wäre, daß Eich in diesen Jahren und in dieser Situation (Kriegsgefangenschaft) das tschechische Gedicht vorgelegen hätte, wäre Eichs ‚Inventur‘ zweifellos Parodie: Der tschechische Autor inventarisiert, zufrieden und stolz, das Interieur einer bürgerlichen Wohnung.

24 Werner Weber in einem Radiovortrag über das Gedicht ‚Latrine‘.

25 Albrecht Zimmermann, Das lyrische Werk Günter Eichs, Versuch einer Gestaltanalyse, Diss. Erlangen 1965, S. 69.

26 Am packendsten in einem nicht in die Sammlung aufgenommenen, aber in derselben Zeit entstandenen Liebesgedicht (I 237): ,,Geh durchs Fabriktor, eh die Sirene verklungen ist, / ich warte am Pfeiler der Eisenbahnbrücke nachmittags um fünf … / Komm, daß ich dich einen Augenblick im Arm halte / mich erwarten die verschimmelten feuchten Wände, / die Kälte und die betrunken singende Frau.‘‘

27 Heinz Schwitzke, Günter Eichs Träume, in: Text + Kritik, Heft 5 (1. Auflage), Günter Eich, Juni 1964, S. 16, sowie in: Über Günter Eich, edition suhrkamp 402, S. 16–19. Schwitzke berichtet auch (III 1417), daß man sich angesichts des ungewöhnlichen Echos des Hörspiels bereits einen Monat nach der Sendung entschloß, den Text bei der Grundsteinlegung des neuen Hörspielstudios in Hamburg in den Grundstein zu mauern.

28 Heinz Piontek, Anruf und Verzauberung, in: Über Günter Eich, edition suhrkamp 402, S. 120.

29 Walter Höllerer, Rede auf den Preisträger, in: Über Günter Eich, edition suhrkamp 402, S. 50.

30 ‚Zeit und Kartoffeln‘ war noch nicht geschrieben.

31 Peter Märki, Günter Eichs Hörspielkunst, Studienreihe Humanitas, Studien zur Germanistik, Akademische Verlagsgesellschaft, Frankfurt 1974, S. 44/66/95.

32 Walter Jens in einer Verlagsinformation des Suhrkamp Verlags, 2. Halbjahr 1974.

33 Klaus Schöning, im Vorwort zu: Neues Hörspiel, Texte Partituren, Suhrkamp Verlag, Frankfurt 1969, S. 12/13. Schöning nennt in seinem Hörspiel-Credo den Namen Eich kein einziges Mal, spricht nur von ,,den deklarierten Musterbeispielen‘‘ des deutschen Hörspiels. Das hat eine Ursache, die amüsieren mag: Weil Schönings

Hörspielbuch in Eichs Verlag herausgekommen ist, strich er auf Wunsch eben dieses Verlags den Namen Eich überall, wo er im Vorwort vorkam.

34 Heinrich Vormweg, Deutsche Literatur 1945–1960, in: Die deutsche Literatur der Gegenwart, Reclam Verlag, Stuttgart 1971, S. 23.

35 Michael Gäbler, Unsere Erzählungen, unsere Sicherheit, die einzige, in: Text + Kritik, Heft 5 (1. Auflage), Günter Eich, Juni 1964, S. 20/1.

36 Karlheinz Braun, Das Verschwinden der Welt in den Wörtern, Über den Realismusstreit, Basler Nachrichten, 16. Nov., No. 269, 1974.

37 In: Die Kolonne, Zeitung der jungen Gruppe Dresden, 1. Jg., Nr. 2, Februar 1930.

38 Wolfgang Hildesheimer, Frankfurter Vorlesungen, Die Wirklichkeit des Absurden, in: Interpretationen, edition suhrkamp 297, S. 62 ff. Vgl. auch in: Über Günter Eich, edition suhrkamp 402, S. 56 ff.

39 Susanne Müller-Hanpft, Lyrik und Rezeption, Das Beispiel Günter Eich, Hanser Reihe ‚Literatur als Kunst‘, München 1972, S. 77 f.

40 In Büchner-Preis-Reden 1951–1971, Reclam UB Nr. 9332–34. Frisch: S. 57 / Kaschnitz: S. 29 / Krolow: S. 42 / Erich Kästner: S. 43 / Koeppen: S. 116 / Enzensberger S. 134 / Bachmann: S. 134 / Benn: S. 12 / Grass: S. 150 / Golo Mann: S. 191 / Hildesheimer: S. 181/2.

41 Peter Handke in der Büchner-Preis-Rede 1973, veröffentlicht unter dem Titel ‚Die Geborgenheit unter der Schädeldecke‘ in ‚Als das Wünschen noch geholfen hat‘, suhrkamp taschenbuch 208, 1974, S. 71 ff.

42 Peter Horst Neumann, Dichtung als Verweigerung, Versuch über Günter Eich, in: Merkur, 28. Jg., Heft 8, 1974, S. 749.

43 Peter Märki, Günter Eichs Hörspielkunst, Akademische Verlagsgesellschaft, Frankfurt 1974, S. 126.

44 Die Formeln in Anführungszeichen sind Zitate aus Klaus Schönings Vorwort zu: Neues Hörspiel, Texte Partituren, Suhrkamp Verlag, Frankfurt 1969, S. 10/11/15. Die Zitate formulieren die angeblichen Leistungen der neuen Hörspielautoren, die gegen die klassischen, allen voran den nicht genannten Günter Eich (vgl. Anm. 33), ausgespielt werden.

45 Egbert Krispyn, Günter Eichs Lyrik bis 1964, in: Über Günter Eich, edition suhrkamp 402, Frankfurt 1970, S. 88.

46 Günter Bien, Die Herkunft der Wahrheit bedenkend, Zu Günter Eichs Gedichtband ‚Zu den Akten‘, in: Text + Kritik, Heft 5 (1. Auflage), Günter Eich, Juni 1964, S. 23.

47 Horst Ohde, Günter Eichs Gedicht ‚Gärtnerei‘, in: Über Günter Eich, edition suhrkamp 402, Frankfurt 1970, S. 96/7.

48 Die Verse gehören in ein Gedicht zum siebzigsten Geburtstag des

Verlegers V. O. Stomps. Es ist erst 1967 entstanden, also nicht in der Sammlung ‚Anlässe und Steingärten‘ enthalten.

49 Wulf Segebrecht, Satzgegenstände und Satzaussagen, in: Über Günter Eich, edition suhrkamp 402, Frankfurt 1970, S. 99.

50 Hans Magnus Enzensberger, Poesie und Politik, in: Einzelheiten, Suhrkamp Verlag, Frankfurt 1962, S. 353.

51 Erich Fried, Engagiertes Spiel, in: Über Günter Eich, edition suhrkamp 402, Frankfurt 1970, S. 54.

52 Albrecht Zimmermann, Das lyrische Werk Günter Eichs, Diss. Erlangen 1965, S. 9.

53 Walter Helmut Fritz, Zur Lyrik Günter Eichs, in: Text + Kritik, Heft 5 (2. Auflage), Günter Eich, März 1971, S. 29.

54 Karl Krolow in: Kindlers Literaturgeschichte der Gegenwart seit 1945, Kindler Verlag, München und Zürich 1973, S. 413.

55 Susanne Müller-Hanpft, Lyrik und Rezeption, Das Beispiel Günter Eich, Hanser Verlag, München 1972, S. 30 / 154.

56 Heinrich Vormweg, Dichtung als Maul-Wurf, in: Über Günter Eich, edition suhrkamp 402, Frankfurt 1970, S. 129.

57 Günter Guben, Eich-Lesen, in: Text + Kritik, Heft 5 (2. Auflage), Günter Eich, März 1971, S. 36.

58 Peter Horst Neumann, Dichtung als Verweigerung, Versuch über Günter Eich, in: Merkur, Heft 8, 28. Jg. 1974, S. 747.

59 Peter Bichsel, Wie ein stiller Anarchist, in: Über Günter Eich, edition suhrkamp 402, Frankfurt 1970, S. 141.

60 Marcel Reich-Ranicki, Kein Denkmalschutz für Günter Eich, in: Die Zeit, 27. Nov. 1968.

61 Gabriele Wohmann, Eichs kleine Wühler, in: Christ und Welt, 11. 12. 1968.

62 Susanne Müller-Hanpft im Vorwort zu: Über Günter Eich, edition suhrkamp 402, Frankfurt 1970, S. 17.

63 Hilde Domin, An Eich denkend, in: Günter Eich zum Gedächtnis, Suhrkamp Verlag 1973, S. 18.

64 Hermann Kesten, Günter Eich – ,,zunächst Lyriker‘‘, in: Günter Eich zum Gedächtnis, Suhrkamp Verlag, Frankfurt 1973, S. 91/2.

65 Von der Veranstaltung, an der Bichsel, Böll, Frisch, Grass, Handke, Hildesheimer, Huchel, Johnson, Marie Luise Kaschnitz, Karl Krolow, Jörg Steiner, u. a. aus Eichs Werk lasen, ist eine Platte erschienen: ,Günter Eich zu ehren‘, Suhrkamp Verlag, Frankfurt 1974.

66 Günter Eich zum Gedächtnis, Suhrkamp Verlag, Frankfurt 1973.

67 Hans-Dieter Schäfer, Zur Spätphase des hermetischen Gedichts, in: Die deutsche Literatur der Gegenwart, Reclam Verlag, Stuttgart 1971, S. 155/151/155.

68 Peter Handke, Ich bin ein Bewohner des Elfenbeinturms, in: Prosa

Gedichte Theaterstücke Hörspiel Aufsätze, Suhrkamp Verlag, Frankfurt 1969, S. 264.

69 Hans Mayer, Exkurs zu einem Gedicht von Eich, in: Günter Eich zum Gedächtnis, Suhrkamp Verlag, Frankfurt 1973, S. 107.

70 Acid, Neue amerikanische Szene, hrsg. von R. D. Brinkmann, März Verlag, Darmstadt 1969, S. 386/385/392/393/399.

Zeittafel zu Leben und Werk Günter Eichs

Wo nichts anderes erwähnt ist, sind Eichs Bücher im Suhrkamp Verlag, Frankfurt am Main erschienen. BS: Bibliothek Suhrkamp; es: edition suhrkamp; st: suhrkamp taschenbücher.

1907   Eich wird am 1. Februar in Lebus an der Oder (Mark Branden-
       burg) geboren.
1918   Übersiedlung der Familie nach Berlin.
1925   Abitur Eichs in Leipzig. Beginn des Sinologiestudiums in Berlin;
       später studiert Eich in Leipzig auch noch Volkswirtschaft.
1927   Eich veröffentlicht unter dem Pseudonym Erich Günter die er-
       sten Gedichte in der ,Anthologie jüngster Lyrik'.
       Europa contra China, Aufsatz.
1928/9   Sinologiestudium in Paris. Rückkehr nach Berlin, Fortsetzung
       des Studiums bis 1931.
1929   *Leben und Sterben des Sängers Caruso,* Eichs erstes Hörspiel, mit
       Martin Raschke zusammen geschrieben.
1930   *Gedichte,* Jess Verlag, Leipzig: Eichs erster Lyrikband.
1930/1   *Eine Karte im Atlas / Morgen an der Oder / Ein Begräbnis /
       Prosafragment:* Eichs erste Prosatexte.
1931   Abbruch des Studiums. Eich gehört dem Autorenkreis um den
       Verleger Jess und die Zeitschrift ,Die Kolonne' an. Er arbeitet als
       freier Schriftsteller, bis 1939 vor allem für den Funk.
1932   *Der Traum am Edsin-gol,* Hörspiel. *Der Präsident,* Theater-
       stück.
1935   *Schritte zu Andreas,* Hörspiel. *Die Glücksritter,* Lustspiel nach
       Eichendorff.
       Katharina, Erzählung; Neuauflage, zusammen mit andern Prosa-
       stücken aus den 30er Jahren, 1974 in BS 421.
1936   *Fährten in die Prärie,* Hörspiel
1937   Erste Heirat Eichs.
       Radium, Hörspiel.
1939–45   Eich ist Soldat im Zweiten Weltkrieg, längere Zeit in einer
       Stabsstelle in Berlin, ab 1944 an der Front.
1945   Eich gerät bei Remagen in amerikanische Kriegsgefangenschaft.
       In der Gefangenschaft beginnt er wieder zu schreiben, vor allem
       Gedichte.
1946   Eich zieht nach Geisenhausen bei Landshut.
1947   Eich ist eines der ersten Mitglieder der Gruppe 47. Seine ersten

Nachkriegsarbeiten werden veröffentlicht, vor allem in ‚Der Ruf‘.

1947/8   *Züge im Nebel / Zwischen zwei Stationen / Eine ungewöhnliche Nacht* u. a. Prosatexte.

1948   *Abgelegene Gehöfte,* Gedichte Schauer Verlag, Frankfurt; Neuauflage 1968 in es 288.

1949   *Untergrundbahn,* Gedichte, Ellermann Verlag, Hamburg.

1950   Eich liest vor der Gruppe 47 Gedichte, die später in ‚Botschaften des Regens‘ veröffentlicht werden. Er erhält den ersten Preis der Gruppe.
Die gekaufte Prüfung / Geh nicht nach El Kuwehd / Träume, Hörspiele.

1950/1   *Übertragungen von ca. 100 chinesischen Gedichten,* gedruckt in ‚Lyrik des Ostens‘, Hanser Verlag, München 1952.

1951   Literaturpreis der Bayerischen Akademie der Künste.
Sabeth / Die Andere und ich / unterm Birnbaum (nach Fontane) / *Fis mit Obertönen,* Hörspiele.

1952   Hörspielpreis der Kriegsblinden für ‚Die Andere und ich‘. *Blick auf Venedig I / Der Tiger Jussuf I / Die Mädchen aus Viterbo I / Die Gäste des Herrn Birowski,* Hörspiele (alle später einschneidend bearbeitet).

1953   Heirat mit der österreichischen Schriftstellerin Ilse Aichinger. Die beiden wohnen u. a. in Breitbrunn, ab 1956 in Lenggries (Oberbayern).
Das Jahr Lazertis, Hörspiel.
Rede zur Verleihung des Hörspielpreises der Kriegsblinden, gedruckt u. a. in: Über Günter Eich, es 402.
Träume, Hörspiele, BS 16 *(Sabeth, Geh nicht nach El Kuwehd, Der Tiger Jussuf, Träume).*

1954   Literaturpreis des Kulturkreises im Bundesverband der Deutschen Industrie.
Der Stelzengänger, Erzählung. *Der sechste Traum,* Hörspiel.

1955   Reise nach Portugal.
Zinngeschrei / Der letzte Tag (gemeinsam mit Ilse Aichinger), Hörspiele.
Botschaften des Regens, Gedichte; Neuauflage 1963 als es 48.

1956   *Die Stunde des Huflattichs I,* Hörspiel.
Der Schriftsteller vor der Realität (gesprochen an einer deutsch-französischen Autorentagung in Vézelay, gedruckt u. a. in: Über Günter Eich, es 402).

1957   *Die Brandung von Setúbal / Allah hat hundert Namen,* Hörspiele

1958   Eich arbeitet ältere Hörspiele um.
Philidors Verteidigung / Festianus Märtyrer (letzteres gedruckt auch als Reclam UB-Nr. 8733), Hörspiele.

Stimmen, Hörspiele *(Die Andere und ich, Allah hat hundert Namen, Das Jahr Lazertis, Die Mädchen aus Viterbo, Zinngeschrei, Die Brandung von Setùbal, Festianus Märtyrer);* Neuauflage 1974 als Suhrkamp Sonderausgabe.

1959   Georg-Büchner-Preis. Schleussner-Schueller-Preis des Hessischen Rundfunks.

Rede zur Verleihung des Georg-Büchner-Preises, gedruckt u. a. in: Über Günter Eich, es 402 und: Die Büchner-Preis-Reden, Reclam UB Nr. 9332–34.

Unter Wasser, Marionettenspiel.

Alte Regensburger, Fragment eines Theaterstücks.

1959/60 Hörspiel-Neufassungen: *Der Tiger Jussuf II / Blick auf Venedig II / Die Stunde des Huflattichs II / Meine sieben jungen Freunde* (1952: ‚Die Gäste des Herrn Birowski').

1960   *Ausgewählte Gedichte,* mit einem Nachwort von Walter Höllerer, suhrkamp texte 1.

Die Mädchen aus Viterbo, mit einem Nachwort von Walter Jens, suhrkamp texte 2, Neuauflage 1964 als es 60.

1960/1 *Böhmische Schneider,* Marionettenspiel.

1962   Lesereise nach Indien, Japan, Kanada und in die USA.

1963   Übersiedlung nach Groß-Gmain b. Salzburg.

Die Brandung von Setùbal, Das Jahr Lazertis Zwei Hörspiele, es 5.

1964   *Man bittet zu läuten,* Hörspiel.

Zu den Akten, Gedichte.

Unter Wasser, Böhmische Schneider, Marionettenspiele, es 89.

In anderen Sprachen, Hörspiele *(Blick auf Venedig II, Die Stunde des Huflattichs II, Meine sieben jungen Freunde, Man bittet zu läuten),* BS 135.

1965   Münchner Förderpreis für Literatur. Reise in den Senegal.

1966   Eich schreibt die ersten Maulwürfe.

Anlässe und Steingärten, Gedichte.

Fünfzehn Hörspiele, Bücher der Neunzehn (enthält die Hörspiele aus den Bänden ‚Träume', ‚Stimmen', ‚In anderen Sprachen'), Neuauflage 1973 als st 120.

1967   Letzte Tagung der Gruppe 47, Eich liest erstmals Maulwürfe vor. Reise nach Persien.

1968   Schiller-Gedächtnispreis der Stadt Mannheim.

Maulwürfe, Prosa.

Kulka, Hilpert, Elefanten, LCB-editionen Nr. 3, Berlin.

1970   *Ein Tibeter in meinem Büro,* 49 Maulwürfe.

Über Günter Eich (enthält von Eich: ‚Der Schriftsteller vor der Realität', Kriegsblinden-Rede, Büchner-Preis-Rede), es 402.

1971   *Zeit und Kartoffeln,* Eichs letztes Hörspiel.

1971/2   Krankheit, mehrere Spitalaufenthalte.
         Eich arbeitet an einer Reihe Kurzdramen.
1972   *Nach Seumes Papieren,* Gedichte, J. G. Bläschke Verlag, Darmstadt.
         Günter Eich, ein Lesebuch, ausgewählt von G. E., hrsg. von Susanne Müller-Hanpft.
         Gesammelte Maulwürfe, BS 312.
         Am 20. Dez. stirbt Eich in einem Salzburger Krankenhaus. Kremation in Salzburg am 22. Dez.
1973   *Günter Eich, Gesammelte Werke.* Bd. I: Gedichte, Maulwürfe (hrsg. von Horst Ohde u. Susanne Müller-Hanpft) / Bd. II u. III: Hörspiele (hrs. von Heinz Schwitzke) / Bd. IV: Marionettenspiele, Theaterstücke, Prosa, Übertragungen, Schriften zur Literatur (hrsg. von Heinz F. Schafroth).
         Gedichte, ausgewählt von Ilse Aichinger, BS 368.
         Fünfzehn Hörspiele, s. 1966.
         Günter Eich zum Gedächtnis, Nachrufe und Erinnerungen, hrsg. von Siegfried Unseld.
1974   *Katharina,* s. 1935.
         Stimmen, s. 1958.
         Günter Eich liest Gedichte, Hörspiele, Maulwürfe, Schallplatte.
         Günter Eich zu Ehren, Schallplatte (s. Anmerkung 66).

Ausführliche Bibliographien zur Sekundärliteratur über Günter Eich hat Susanne Müller-Hanpft zusammengestellt in:
Über Günter Eich, es 402 (bis 1970).
Text + Kritik, Zeitschrift für Literatur, Heft 5, Günter Eich, 2. Auflage, März 1971 (bis 1971).
Günter Eich, Ein Lesebuch, Suhrkamp Verlag 1972 (bis 1972).

Seitdem erschienen u. a.:
Peter Märki, G. Eichs Hörspielkunst, Akademische Verlagsgesellschaft, Frankfurt 1974
Peter Horst Neumann, Dichtung als Verweigerung, Versuch über Günter Eich, in: Merkur, 28. Jg., Heft 8, 1974.